Nous tenons à remercier Monsieur Jean-Paul BERNARD, Proviseur du Lycée Technique Hôtelier de Strasbourg-Illkirch, ainsi que Monsieur Jean-Pierre DEZAVELLE, Chef des Travaux, de nous avoir permis de réaliser les photos dans les locaux de cet établissement.

LES DESSERTS

LES SECRETS DE LEUR REUSSITE

Guy DISDIER

Professeur de pâtisserie au Lycée Technique
Hôtelier de Strasbourg-Illkirch.

L'auteur remercie Monsieur **Michel GODMET**,
Professeur de pâtisserie, pour l'aide précieuse apportée à
la réalisation de cet ouvrage.

Photos : S.A.E.P. / J.L. SYREN / C. DUMOULIN.
Coordination de l'ouvrage : Eric ZIPPER.

Dormonval

SOMMAIRE

PREPARATIONS DE BASE

ENTREMETS

DESSERTS AUX FRUITS

BEIGNETS, CREPES, GAUFRES

MOUSSES

TARTES

GROS GATEAUX

page 149

CLASSIQUES, FESTIFS,
SECS, AUX FRUITS,
AU CHOCOLAT.

PETITS GATEAUX

page 189

DE LA BOUCHEE
AU GATEAU INDIVIDUEL.

DESSERTS GLACES

page 201

LES GLACES, LES VACHERINS
ET LES BOMBES GLACEES.

PETITS FOURS
ET CONFISERIES

page 219

AU CHOCOLAT, AUX FRUITS,
AU MASSEPAIN, A L'ALCOOL.

DECORS

page 231

MATERIEL, INGREDIENTS,
TECHNIQUES, UTILISATIONS.

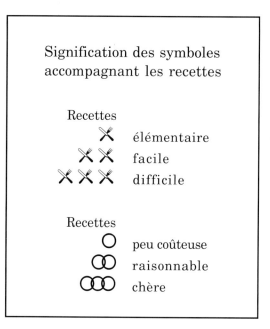

Signification des symboles
accompagnant les recettes

Recettes

✗ élémentaire

✗ ✗ facile

✗ ✗ ✗ difficile

Recettes

◯ peu coûteuse

◯◯ raisonnable

◯◯◯ chère

Quel enfant n'a pas rêvé de la merveilleuse maison de "Dame Tartine", aux murs de pain d'épices, au toit de nougatine, aux vitres de caramel et aux boiseries de chocolat ? Subtile composition de couleurs, parfums et saveurs délicates, la vitrine du pâtissier séduit encore le gourmand qui sommeille en chacun de nous.

Le dessert, si vite dégusté, est le fruit d'une minutieuse préparation, dans les règles d'un art affiné au cours des siècles ; déjà, les "pastillariorum" romains formaient une corporation puissante et considérée...

A travers des recettes traditionnelles ou nouvelles, des quatre coins de France, cet ouvrage se propose de vous initier à l'art de la pâtisserie. La maîtresse de maison trouvera ici un guide simple, abondamment illustré, lui permettant l'apprentissage des techniques de base puis, avec un peu de perspicacité, la réalisation de desserts de plus en plus élaborés. Véritable assemblage de préparations, la pâtisserie deviendra alors jeu d'enfants.

Les recettes sont établies pour six à huit personnes ; le respect des proportions est un facteur de réussite. Selon les circonstances (goûters, cocktails, repas, fêtes, saisons), vous choisirez entre les gâteaux, mousses, glaces, petits fours et autres friandises. Pour être apprécié à sa juste valeur, votre dessert ne doit pas rompre l'équilibre alimentaire.

Quelques suggestions de décors, présentations d'assiettes gourmandes, un peu d'imagination et beaucoup d'amour vous permettront de personnaliser ces délices qui réjouiront vos convives...

QUELQUES CHIFFRES

EQUIVALENCES GAZ - ELECTRICITE

Thermostat 1	:	50° C	:	très doux ou minimum
Thermostat 2	:	80° C	:	très doux
Thermostat 3	:	100° C	:	doux
Thermostat 4	:	120° C	:	doux
Thermostat 5	:	150° C	:	moyen
Thermostat 6	:	180° C	:	moyen
Thermostat 7	:	210° C	:	chaud
Thermostat 8	:	240° C	:	chaud
Thermostat 9	:	270° C	:	très chaud
Thermostat 10	:	300° C	:	très chaud ou maximum.

ALIMENTS	1 cuil. à café rase	1 cuil. à soupe rase	1 cuil. à soupe bombée
Beurre (ou margarine)		15 g.	
Cacao		7 g.	
Eau (ou lait)		15 g.	
Farine	5 g.	10 g.	20 g.
Huile		12 g.	
Maïzena (ou fécule)	4 g.	8 g.	15 g.
Poudre d'amande			20 g.
Riz		15 g.	
Sel		15 g.	30 g.
Semoule		15 g.	
Sucre semoule	6 g.	15 g.	30 g.
Thé	3 g.	6 g.	

1 tasse à café contient	1 dl.	10 cl.
1 tasse à thé contient	1,5 dl.	15 cl
6 cuillerées à soupe contiennent	1 dl.	10 cl.
1 verre classique contient	2 dl.	20 cl.

QUELQUES POIDS

1 œuf moyen pèse	65 g.	1 noix pèse	15 g.
1 litre d'huile pèse	900 g.	1 morceau de sucre n° 4	
1 noisette de beurre pèse	4 g.	pèse	8 g.

1 moule à manqué pour 4 à 6 personnes mesure 20 cm de Ø
1 moule à tarte pour 4 à 6 personnes mesure 25 cm de Ø
1 moule à charlotte pour 4 à 6 personnes mesure 15 cm de Ø sur 10 cm de hauteur.

MATERIEL

① ② ③

1 - Rouleau à pâtisserie
2 - Roulette à rioler
3-9 - Pinceaux
4 - Fourchette à tremper
5 - Bague à tremper
6 - Pince à tarte
7 - Grille
8 - Palette triangle
10 - Spatule
11 - Econome

12 - Zesteur
13 - Canneleur
14 - Eminceur
15 - Couteau-scie
16 - Emporte-pièce cannelé
17 - Emporte-pièce variés
18 - Couteau à agrumes
19 - Cuillère à pommes
     parisiennes
20 - Vide-pomme.

1 - Moule à tartelette	13 - Saupoudreuse
2 - Tourtière	14 - Passoire
3 - Moule à savarin	15 - Passoire fine
4 - Barquette	16 - Petite louche
5 - Moule à tarte	17 - Fouet à blancs
6 - Ramequin	18 - Cul-de-poule
7 - Cercle à tarte	19 - Mesures
8 - Moule à cake	20 - Maryse
9 - Moule à génoise	21 - Cuillère en bois
10 - Douilles cannelées	22 - Corne
11 - Douilles unies	23 - Fouet à sauce
12 - Poche	24 - Verre gradué.

QUELQUES PRODUITS

LE CACAO

Il existe le cacao en pâte contenant encore du beurre de cacao, le cacao solubilisé, le cacao sucré.

Le cacao a été introduit en France par Anne d'Autriche, épouse de Louis XIII vers le début du XVIe siècle et la première chocolaterie s'installa à Paris en 1759.

Le cacao est la base de tous les chocolats.

A partir de la fève de cacao torréfiée sont produits, d'une part le beurre de cacao et d'autre part la poudre de cacao.

Selon leurs origines et la variété, les cacaos sont plus ou moins rouges et foncés.

LE CHOCOLAT EN POUDRE

La poudre de cacao est obtenue par la pulvérisation de la pâte de cacao dégraissée. On y ajoute du sucre en poudre mais le mélange doit comporter au moins 32 % de cacao.

LE CHOCOLAT FONDANT OU CHOCOLAT NOIR

C'est un mélange 40 % de sucre, 30 % de cacao poudre, 12 % de matière sèche totale de cacao et 18 % de beurre de cacao.

Il est consommé en l'état et sert surtout à la réalisation de crème ganache, de sauce au chocolat, ou d'autres préparations. On l'agrémente de lait, de crème ou de beurre.

LE CHOCOLAT AU LAIT

22,5 % de matière sèche totale de cacao, 27,5 % de matière grasse totale et 50 % de sucre.

Même utilisation que le chocolat noir.

LA COUVERTURE FONDANTE

COUVERTURE NOIRE :

C'est un mélange de 34 % de sucre, 30 % de cacao maigre, 31 % de beurre de cacao et 2,5 % de matière sèche de cacao.

COUVERTURE AU LAIT :

Elle s'utilise dans les mêmes conditions que la noire avec une différence : la fonte se fait à 40° et il faut refroidir à 24-25°. L'utilisation se fait à 29-30°.

Il existe aussi toutes sortes de couvertures mi-amères, parfumées à l'orange, au café, claires ou foncées, extra-fluides, spécial moulage.

On trouve également des chocolats de couverture de couleur ; ils ne contiennent que du beurre de cacao.

Les couvertures de chocolat constituent un chocolat de luxe, sa supériorité en teneur de beurre de cacao la rend plus onctueuse, plus cassante, mais aussi plus chère que le chocolat ordinaire.

Son utilisation spécifique est l'enrobage des bonbons de chocolat (praliné, truffes), mais peut être utilisée à la place du chocolat dans des préparations de qualité.

UTILISATION DE LA COUVERTURE DE CHOCOLAT :

Elle est utilisée pour l'enrobage des bonbons de chocolat et le moulage. Son emploi est très délicat : il faut faire fondre la couverture à faible température dans un bain-marie sans dépasser 50°, puis la laisser refroidir en la travaillant dans la calotte jusqu'à 26/27°. Le beurre de cacao se solidifie en pâte. Bien mélanger, retempérer l'ensemble tout en le travaillant à 32° C. Vérifier la mise au point : verser une cuillerée à café de couverture sur une feuille de papier sulfurisé. Dans la minute qui suit, elle doit se solidifier et rester brillante.

Trop froid, le chocolat blanchit. Trop chaud, il ternit. Dans les deux cas, il faut agir, soit :

- en réchauffant un tout petit peu et en mélangeant bien,
- ou en refroidissant en rajoutant de la couverture râpée et en mélangeant bien.

Pour l'enrobage des truffes, la couverture ne nécessite pas une mise au point rigoureuse, car, après l'enrobage, la truffe est roulée dans le cacao ou le sucre glace.

La couverture sert également à faire des copeaux : il suffit de la râcler avec une lame d'économe.

LE GIANDUJA

Le gianduja est une couverture de chocolat au lait mélangée avec du praliné noisette très fin et du beurre de cacao.

UTILISATION :

Intérieur des bonbons de chocolat, des cornets, des caissettes dressées à la poche. Il se met à point comme une couverture. Il sert aussi à parfumer la crème au beurre et à recouvrir certains gâteaux en copeaux.

PATE A GLACER

C'est un mélange de cacao, de sucre et de graisse végétale. Son utilisation est facile, car il n'y a pas besoin de mise au point comme pour la couverture de chocolat.

Il suffit de la faire fondre à température douce ou au bain-marie. Elle s'emploie à une température de 32° à 33° C.

Elle coûte moins cher à l'achat et est d'un emploi facile, mais elle est aussi moins savoureuse.

Elle s'utilise pour le glaçage des petits fours, des petits et des gros gâteaux.

Elle se trouve également de différentes couleurs : brun, rose, vert, orange, ivoire, café.

LE FONDANT

Le fondant est une pâte blanche constituée de fins cristaux de sucre liés par un sirop concentré.

La cuisson se fait au petit boulé.

---

1 kg. de sucre
100 g. de glucose
25 cl. d'eau.

Verser sur un marbre mouillé, rehaussé de règles en fer. Asperger légèrement le dessus.

Dès refroidissement (35° C), le travailler avec une spatule métallique ou triangle : râcler le marbre de manière à ramener tout le sucre en un seul point, puis faire l'opération inverse : étaler à nouveau le sirop sur le marbre en ne rabattant que le dessus de la couche de sucre. C'est ce mouvement répété qui permettra la transformation du sirop en fondant, qui devient d'abord opaque puis de plus en plus blanchâtre. Continuer jusqu'à ce que la masse épaississe. Réserver dans un seau ou récipient en plastique fermant hermétiquement.

UTILISATION DU FONDANT

Prendre la quantité de fondant nécessaire dans une petite casserole. Le tempérer à feu doux ou au bain-marie en le travaillant avec une petite spatule en bois. La température ne doit pas dépasser 34° C. On peut le ramollir avec du sirop lourd ou de l'eau pour éviter que la couche de fondant ne soit trop épaisse.

Le fondant trop chauffé ne brille plus. Quand cela arrive, il faut rajouter un peu de fondant frais et remettre à point.

Trop liquide, il est transparent et donc inutilisable.

Il sert au glaçage de tous les gâteaux, petits et gros, et s'ajoute aux pâtes d'amandes pour les empêcher d'huiler.

LE NAPPAGE

NAPPAGE BLOND

Pulpe de fruit passée au tamis, enrichie de sucre, pectine, essence de fruits et colorant.

NAPPAGE ROUGE

Pulpe de fruits rouges passée au tamis, enrichie de sucre, pectine, essence de fruits et co-lorant.

LES PATES D'AMANDES

On distingue les pâtes d'amandes crues et cuites. Les pourcentages sucre et amandes sont :

Pâte d'amandes office :
25 % d'amandes
75 % de sucre.

Pâte d'amandes confiseur :
33 % d'amandes
66 % de sucre.

Pâte d'amandes tant pour tant :
50 % d'amandes
50 % de sucre.

C'est évidemment le pourcentage d'amandes qui détermine le prix et les usages.

Pâte d'amandes crue 25 %

500 g. d'amandes blanches
1,250 kg. de sucre glace
2,5 dl. de sirop lourd
150 g. de glucose.

Broyer tous les éléments pour faire une pâte fine et lisse à l'aide d'une broyeuse à cylindre. Un solide mixer peut faire l'affaire, mais la pâte sera un peu moins fine.

Pâte d'amandes fondante 25 %

500 g. d'amandes blanches
1,500 kg. de sucre
150 g. de glucose
40 cl. d'eau.

Cuire le sucre au petit boulé. Verser sur les amandes, tout en remuant avec une spatule, le sucre blanchit et épaissit pour former un fondant enrichi d'amandes.

Après refroidissement, réduire la masse en pâte fine.

Eviter de faire huiler la pâte, ajouter si besoin un peu de sirop lourd pendant la fin du broyage. Parfumer et colorer à volonté.

On peut obtenir de la pâte d'amandes rapide en mélangeant 2/3 de fondant blanc et 1/3 d'amandes blanches en poudre.

Travailler et étaler dans tous les cas avec du sucre glace. Sert à enrober certains gâteaux, fourrer des mignardises, faire des intérieurs de bonbons au chocolat.

LE PRALINE

450 g. d'amandes ou de noisettes
450 g. de sucre
100 g. de glucose.

Faire griller les amandes à four moyen (200° C).

Faire fondre le sucre à sec en caramel blond.

Mélanger les amandes grillées avec le caramel, puis verser le tout sur une plaque huilée. Laisser refroidir, écraser, réduire en grains, puis en pâte qui se huile obligatoirement pour obtenir la pâte de praliné.

Praliné amandes clair - amandes blanchies grillées

Praliné amandes foncé - amandes brutes (avec la peau) grillées

Praliné noisettes clair - noisettes grillées débarrassées de leur peau

Praliné noisettes foncé - noisettes grillées débarrassées de leur peau, caramel plus foncé.

Il s'utilise pour parfumer des crèmes de toute sorte, des glaces, des soufflés. Il sert à faire les bonbons de chocolat, moyennant l'addition d'un durcisseur (chocolat de couverture) qui contribuera à le solidifier tout en lui conservant son onctuosité.

Il se conserve assez longtemps, en boîte bien fermée.

REMARQUE

On le trouve tout fait dans le commerce. La recette est donnée à titre indicatif.

LE SUCRE

① SUCRE EN MORCEAUX

Utilisé pour les sucres cuits avec eau et glucose.

Pour assembler les choux, pièces montées, ou pour caraméliser les fruits farcis de pâte d'amandes.

② SUCRE CRISTALLISE

Il s'utilise pour tous les sirops : eau + sucre portés à ébullition.

③ SUCRE SEMOULE OU SUCRE FIN

Il s'utilise pour toutes les pâtisseries, crèmes, biscuits, pâtes à tarte, etc.

④ SUCRE GLACE

Il s'utilise pour les pâtes sucrées, pour certains petits fours, pour la glace royale et pour la décoration.

⑤ CASSONADE OU VERGEOISE BLONDE OU BRUNE

Elle s'utilise pour saupoudrer les gratins de fruits avant de les passer à la salamandre.

⑥ SIROP LOURD

Même poids d'eau que de sucre porté à ébullition.

⑦ LE GLUCOSE CRISTAL

Le glucose est un sirop transparent épais obtenu après transformation de l'amidon de maïs.

Son pouvoir sucrant est trois fois moindre que celui du sucre.

UTILISATION :

Il sert à empêcher les sucres cuits de masser (c'est-à-dire d'éviter leur cristallisation par la suite). Exemple : fondant, pâte d'amandes, nougatine, sucre cuit pour pièce montée, fruits caramélisés, sucre filé, fleurs en sucre.

Il sert également à rendre plus moelleux certains gâteaux.

On le trouve également sous forme de poudre en pharmacie.

LES ELEMENTS DE DECOR

LES FRUITS CONFITS

Fruits confits en cubes, bigarreaux confits, angélique confite, orangeat.

DECORS EN SUCRE :

Les perles au Cointreau, grains de café liqueur violette, mimosa, perles d'argenture.

LES AROMES

Vanille gousse
Vanille poudre
Sucre vanillé
Extrait de vanille
Extrait de café
Café soluble
Caramel
Fleur d'oranger
Arôme citron
Arôme fraise
Arôme cassis
Arôme framboise
Arôme mandarine

EXTRAIT DE CAFE

S'obtient à partir de sucre caramélisé assez foncé, décuit avec de l'eau, puis infusé avec du café moulu.

Après filtrage, on obtient de l'extrait de café.

De nos jours, avec les cafés solubles, il est très facile de faire des extraits pour parfumer les crèmes ou imbiber les gâteaux.

LES PREPARATIONS DE BASE

LES PATES

Pâte brisée

Pour 500 g. environ. ✕ ○
Prép. : 10 mn.
Cuiss. : 10 à 15 mn. à 240° C à
blanc, 35 à 40 mn. à 220° C avec
garniture.

---

250 g. de farine type 55
5 g. de sel
20 g. de sucre
125 g. de beurre
1 jaune d'œuf
5 cl. d'eau.

Tamiser la farine sur le marbre ou la table. La mettre en fontaine. Mettre au centre le sel, le sucre, le beurre coupé en petits cubes.

Préparer dans un ramequin 5 cl. d'eau, y ajouter 1 jaune d'œuf. Mélanger avec une fourchette, réserver.

Emietter avec les doigts tous les éléments solides de la pâte. Réduire en grains de sable. Pour cela, prendre la pâte dans les paumes et se frotter les mains, sans trop serrer, d'où le terme sabler la pâte.

Remettre en fontaine. Verser au centre le mélange eau et jaune d'œuf. Attention, trop mouillée, elle serait collante, difficile à crêter et à cuire. Mélanger peu à peu en imprimant un mouvement circulaire à l'ensemble.

Fraiser la pâte pour la rendre homogène. Ne pas trop la travailler, cela la rendrait dure et cassante.

Elle s'utilise pour toutes sortes de tartes.

Pâte sablée

60 pièces ✕ ○
Prép. : 10 mn.
Cuiss. : 10 mn. à 180° C.

---

250 g. de farine
150 g. de beurre
125 g. de sucre fin
2 g. de levure chimique
Extrait de vanille ou cacao
(facultatif)
3 jaunes d'œufs.

Faire une fontaine avec la farine et la levure. Mettre au centre le beurre, les jaunes, la vanille et le sucre. Malaxer tous les ingrédients sauf la farine.

Dès que le mélange est homogène, émietter rapidement celui-ci dans la farine. Bien répartir le mélange.

Fraiser. Cette méthode donne une pâte molle que l'on sera obligé de réfrigérer un instant avant de pouvoir l'étaler.

Pâte sucrée

Pour 500 g. environ.   ✗ ○
Prép. : 10 mn.
Cuiss. : 10 mn. à 180° C.

250 g. de farine
100 g. de sucre glace
100 g. de beurre
1 œuf.

Comme la pâte brisée, sabler la farine, le sucre et le beurre.
Ajouter l'œuf battu. Fraiser.

Dans le cas de grosses tartes à couper en parts, ajouter dans la farine 2 g. de levure chimique, afin que la pâte soit aérée et plus facile à couper.

Vu sa teneur en sucre, la pâte se tiendra mieux avec l'incorporation du blanc d'œuf à la place de l'eau.

Pâtes feuilletées
(tartes, pithiviers, mille-feuilles)

Pâte feuilletée

Pour 500 g. environ. ✕✕✕ ○
Prép. : 1 h.
Repos : 50 mn.

300 g. de farine type 45
6 g. de sel
1,5 dl. d'eau
225 g. de margarine ou beurre.

Tamiser la farine en fontaine. Mettre au centre le sel et la moitié de l'eau. Dissoudre le sel du bout des doigts puis commencer rapidement à incorporer la farine par l'intérieur.

Dès que l'on obtient une petite boule, la maintenir sous la paume de la main en la roulant et en la serrant fortement. Ajouter peu à peu le reste de l'eau et de la farine.

Former une boule moyennement ferme : la détrempe. L'inciser à l'aide d'un couteau pour lui permettre de perdre rapidement son élasticité.

Laisser reposer 10 minutes la détrempe. Préparer le beurre. Le tapoter avec un rouleau sur un papier (il doit avoir à peu près la même consistance que la détrempe), et former un carré de 15 x 15 cm.

Etaler la détrempe à l'aide d'un rouleau en forme de carré de 25 x 25 cm en laissant le centre légèrement plus épais. Disposer le carré de beurre au centre en quinconce. Refermer la détrempe en enfermant le beurre.

Etaler la pâte avec un rouleau dans le sens de la longueur en conservant la largeur initiale, sur une épaisseur de 6 à 8 mm et d'une longueur égale à 3 fois la largeur.

CONSEILS

Envelopper la pâte pendant les temps de repos soit dans un sachet plastique, soit dans du papier film pour éviter la formation d'une croûte.

La pâte peut se préparer la veille. Elle se congèle très bien en pâton ou détaillée.

Replier la pâte sur elle-même en trois parties égales, on a réalisé un tour.

La faire pivoter d'un quart de tour avant de recommencer la même opération. Laisser reposer 20 minutes.

Renouveler l'opération (2 tours), laisser reposer 20 minutes.

Redonner deux tours. La pâte est prête à l'emploi, mais elle devra reposer encore 20 minutes avant d'être utilisée.

CONSEILS

Si le feuilletage est fait au beurre :

réfrigérer la détrempe avant d'y incorporer le beurre très ferme. Augmenter la durée des temps de repos entre chaque tour pour pouvoir raffermir la pâte au réfrigérateur.

Mettre la planche de travail au frais en période chaude.

Pâte feuilletée rapide

Pour 600 g. environ. ✗✗ ○
Prép. : 30 mn.
Repos : 20 mn.

300 g. de farine
6 g. de sel
1,5 dl. d'eau
225 g. de margarine ou de beurre bien dur.

Tamiser la farine en fontaine sur la table, mettre au centre le sel, l'eau et le beurre coupé en dés de 1 cm de côté.

Dissoudre le sel dans l'eau et pétrir un peu comme une pâte brisée, en laissant les morceaux de beurre apparents.

Répartir l'eau et le beurre, agglomérer sans trop serrer, ne pas fraiser.

Lui donner une forme de rectangle et l'allonger au rouleau d'une longueur égale à 4 fois sa largeur. Plier en portefeuille. Faire pivoter le pâton d'un quart de tour et recommencer l'opération.

Laisser reposer dans un sachet plastique ou papier film une vingtaine de minutes et donner encore deux tours doubles.

Laisser reposer de nouveau 20 minutes si possible avant d'utiliser la pâte, la rouler et la détailler comme une pâte normale.

Convient particulièrement pour les mille-feuilles ou les mini-pizza.

Pâte à biscuit roulade

Ne pas trop mélanger, cela ferait retomber les blancs.

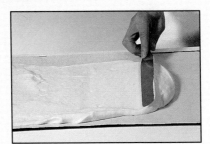

Pâte à biscuit de Savoie

8 pers.	✕✕ ◯
Prép. : 10 mn.	
Cuiss. : 7 à 8 mn. à 200° C.	

4 jaunes d'œufs
75 g. de sucre
50 g. de farine
50 g. de fécule
4 blancs d'œufs + 25 g. de sucre.

Casser les œufs. Séparer les jaunes des blancs.

Ajouter le sucre en pluie dans les jaunes, fouetter énergiquement pour blanchir le tout. Le mélange augmente de volume et épaissit.

Mélanger les blancs montés en neige ferme avec le sucre prévu. Incorporer la farine et la fécule tamisées.

Etaler sur une feuille de papier sulfurisé de 20 sur 30 cm légèrement beurrée sur une épaisseur régulière. Cuire immédiatement.

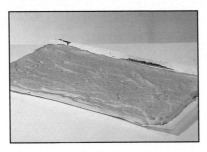

Dès la fin de la cuisson, faire glisser la feuille de biscuit sur une table ou sur une autre plaque froide pour éviter que le biscuit ne sèche.

N'enlever le papier qu'au moment de l'emploi. Au cas où le biscuit aurait un peu trop séché, le retourner et humidifier le papier avec un pinceau pour faciliter le décollage.

8 pers.	✕✕ ◯
Prép. : 10 mn.	
Cuiss. : 45 mn. à 160° C.	

4 jaunes d'œufs
100 g. de sucre
60 g. de farine
60 g. de fécule
4 blancs d'œufs + 20 g. de sucre
20 g. de sucre glace.

Préparer le biscuit comme le biscuit roulade.

Le mouler dans un moule à génoise beurré et fariné. Saupoudrer le dessus de sucre glace.

Cuire immédiatement. Démouler sur une grille recouverte d'un linge.

Pâte à biscuits à la cuiller

8 pers.   ✕✕ ◯
Prép. : 10 mn.
Cuiss. : 10 mn. à 170° C.

---

4 jaunes d'œufs
100 g. de sucre
120 g. de farine
4 blancs d'œufs + 20 g. de sucre
40 g. de sucre glace.

Préparer le biscuit comme le biscuit roulade.

Les blancs devront être très fermes pour obtenir des biscuits bien ronds.

Dresser à la poche sur du papier sulfurisé très légèrement beurré.

Saupoudrer de sucre glace une première fois. Renouveler l'opération dès que le sucre est absorbé. Mettre aussitôt au four non hermétiquement fermé.

Il doit se former un perlage sur les biscuits à la cuisson.

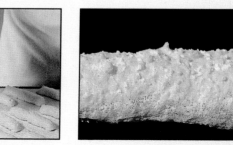

Pâte à brioche

Pour 500 g. environ ✕✕ ○
Prép. : 15 mn.
Fermentation : 3 h.
Cuiss. : 10 à 12 mn. à 220° C
pour les petites pièces, 20 à
30 mn. à 180/200° C pour les
grosses pièces.

250 g. de farine type 45
5 g. de sel
15 g. de sucre
2 1/2 œufs
10 g. de levure de bière
3 cl. d'eau tiède
125 g. de beurre.

Tamiser la farine sur la table de travail. Mélanger le sel. Creuser une grande fontaine.

Délayer la levure dans un peu d'eau tiède. La verser au centre de la fontaine ainsi que le sucre et les œufs. Délayer du bout des doigts en agrandissant le mouvement pour pétrir l'ensemble des éléments formant la pâte.

Former une boule qui doit ressembler à une détrempe un peu molle. Taper fortement la pâte sur le plan de travail en la repliant sur elle-même pour la rendre élastique.

Si la pâte est trop ferme, on peut ajouter un peu d'eau ou 1/2 œuf.

Prendre une moitié de la pâte et lui incorporer le beurre légèrement ramolli.

La mélanger au reste en coupant la pâte puis en la retravaillant.

Réserver dans un saladier, recouvrir la pâte d'un film plastique et la laisser tripler de volume dans un endroit tempéré.

Rompre la pâte, c'est-à-dire la verser sur la table préalablement farinée, la tapoter pour la "dégonfler". Replier la pâte sur elle-même plusieurs fois. Si l'on dispose d'assez de temps, la remettre à lever une deuxième fois dans un endroit plus frais, de manière à raffermir la pâte et faciliter son utilisation.

Détailler la pâte, la dresser sur plaque ou dans un moule. Mettre à lever, laisser tripler de volume, avant de dorer et de cuire à four moyen.

Les grosses pièces (brioches Nanterre) se cuisent à feu plus doux (180° C).

Il est impératif d'arrêter la fermentation à temps par la cuisson. Les ferments, trop nombreux, donneraient un mauvais goût et une vilaine couleur à la pâte.

On peut préparer la pâte la veille au soir (réduire alors sensiblement la quantitié de levure), la mettre au réfrigérateur après la première pousse et ne l'utiliser que le lendemain matin.

Elle peut également se congeler en petites quantités.

REMARQUE

Eviter de mettre en contact direct la levure et le sel, ce dernier risquant de la "neutraliser".

Pâte à choux

Pour 300 g. environ   ✗✗ ◯
Prép. : 10 mn.
Cuiss. : 20 mn. à 220° C pour les petites pièces, 35 mn. à 200° C pour les grosses pièces.

12,5 cl. d'eau
2 g. de sel
4 g. de sucre
50 g. de beurre
80 g. de farine type 45
2 à 2 1/2 œufs moyens.

Porter à ébullition l'eau, le sel, le sucre et le beurre. Ne pas laisser bouillir. Ajouter hors du feu et en une seule fois la farine tamisée en remuant énergiquement avec une spatule en bois.

Remettre sur le feu pour dessécher la pâte, sans cesser de remuer. On doit obtenir une pâte assez ferme : la panade.

Mettre la panade dans une calotte et lui faire absorber à l'aide de la spatule une première moitié d'œuf. Continuer à incorporer les œufs peu à peu, par moitié.

La pâte doit être lisse et souple, sans toutefois menacer de couler.

Pâte à crêpes

Pour 30 à 32 pièces ✕ ◯
suivant la taille de la poêle.
Prép. : 5 mn.
Repos : 1 h. (facultatif).

---

250 g. de farine
3 g. de sel
20 g. de sucre
5 œufs
75 cl. de lait
25 g. de beurre
25 cl. d'huile.

Mettre la farine en fontaine dans un saladier. Y mettre le sel, le sucre, les œufs, la moitié du lait.

Mélanger au fouet pour former une pâte lisse.

Ajouter ensuite le restant du lait et mélanger à nouveau.
Passer la pâte au chinois.

Si possible, laisser reposer 1 heure. Ajouter l'huile et le beurre fondu au moment de l'emploi.

Chauffer la poêle en ayant soin de l'huiler à l'aide d'un petit bout de papier ménage ou d'un petit bout de chiffon attaché sur une fourchette.

La poêle ne doit pas fumer. Verser de la main droite la quantité de pâte nécessaire tandis que la main gauche, munie d'un torchon, imprime un mouvement circulaire à la poêle. La pâte recouvre alors tout le fond. Remettre sur le feu. Dès que la pâte commence à colorer sur les bords, vérifier qu'elle n'a pas attaché avec une petite palette métallique. Puis retourner la crêpe promptement pour mettre à colorer la deuxième face.

Réserver les crêpes en les empilant sur une assiette. Pour les garder chaudes, il suffira de les recouvrir d'un saladier à l'envers ou de les envelopper dans du papier aluminium et de les placer en attente dans un four doux.

Pâte à frire

6 pers.	✗✗○
Prép. : 10 mn.	
Repos : 1 h.	
Cuiss. : 15 mn. Friture à 160° C.	

125 g. de farine
2 g. de sel
1 œuf
10 cl. de bière
1 cl. + 1 cl. d'huile
2 blancs d'œufs.

Tamiser la farine, la mettre dans un saladier en fontaine. Au centre, disposer l'œuf, le sel, la bière et 1 cl. d'huile. Mélanger tous les éléments à l'aide d'une spatule. Répartir 1 cl. d'huile sur la surface de la pâte pour l'empêcher de croûter. Laisser reposer si possible 1 heure avant d'ajouter les blancs battus en neige (qui auront pour but d'alléger la pâte). Les incorporer à l'aide d'une spatule en bois, en coupant la pâte, comme pour tous les mélanges délicats (génoise, biscuit).

Pâte à gaufres

6 pers.	✗○
Prép. : 5 mn.	
Cuiss. : 4 à 5 mn.	

250 g. de farine
150 g. de sucre
3 œufs
1/2 l. de lait
100 g. de beurre fondu.

Mélanger tous les ingrédients sauf le beurre pour obtenir une pâte lisse comme une pâte à crêpes. La passer éventuellement au chinois. Ajouter le beurre fondu. Mélanger.

Cuire en gaufrier chaud et bien graissé. Saupoudrer de sucre glace.

Garnir de chantilly, de crème de marrons ou de sauce au chocolat.

Pâtes à meringue

Meringue légère

8 pers.	XX O
Prép. : 10 mn.	
Cuisson : 45 mn. à 110° C	

4 blancs d'œufs
250 g. de sucre en poudre.

Battre les blancs avec la moitié du sucre. Quand les blancs sont bien fermes, ajouter le reste de sucre et continuer à battre.

Dresser sur du papier sulfurisé ou du papier de cuisson.

Cuire dans un four non hermétiquement fermé pour permettre à la vapeur de s'échapper.

Meringue italienne

Pour 400 g. environ	XXX O
Prép. : 20 mn.	

4 blancs d'œufs
250 g. de sucre
6 cl. d'eau.

Cuire le sucre et l'eau au petit boulé. Verser en filet sur les blancs d'œufs montés aux 2/3.

Fouetter jusqu'à complet refroidissement.

Utilisation (après complet refroidissement) : crème au beurre à l'italienne, soufflés glacés, nougat glacé.

Meringue suisse

Pour 300 g. environ	XX O
Prép. : 30 mn.	
Cuisson : 45 mn. à 110° C.	

4 blancs d'œufs
250 g. de sucre en poudre.

Réunir dans une calotte blancs et sucre.

Battre sur un bain-marie à 60° C. Le mélange devient mousseux et épaissit. Retirer du feu et battre jusqu'à complet refroidissement (20° C) en ajoutant quelques gouttes de jus de citron. Lorsqu'elle est ferme, la meringue est prête.

S'utilise surtout pour les petits fours.

Meringue aux amandes
(progrès, succès, japonais)

8 pers. ✕ ○
Prép. : 20 mn.
Cuiss. : 35 à 40 mn à 160° C.

6 blancs d'œufs
120 g. d'amandes ou noisettes en poudre
160 g. de sucre fin
20 g. de farine.

Commencer à monter les blancs. Ajouter 30 g. de sucre. Terminer en fouettant énergiquement.

Incorporer délicatement le reste de sucre, les noisettes, la farine, en coupant la pâte. Cesser dès que la pâte est homogène.

Cette pâte peut se dresser en spirale avec une poche munie d'une douille moyenne sur du papier sulfurisé.

Elle peut aussi s'étaler délicatement avec une spatule métallique.

Cuire immédiatement à 160° C, four entrouvert, 35 à 40 minutes. Dessécher encore si besoin est.

Cette pâte sert au montage pour certains gâteaux : vacherins, viennois, garniture intérieure de gros gâteaux.

Elle se conserve plusieurs jours après cuisson.

Pâte à génoise

8 à 10 pers.   XX O
Prép. : 15 mn.
Cuiss. : 35 mn. à 180° C.

4 œufs moyens
125 g. de sucre
125 g. de farine type 55
40 g. de beurre (facultatif).

ou

4 œufs
125 g. de sucre
100 g. de farine
25 g. de cacao
40 g. de beurre (facultatif).

Beurrer soigneusement le moule. Le laisser refroidir.

Réunir dans une calotte moyenne les œufs et le sucre. Donner un premier coup de fouet pour éviter que le sucre ne reste sur les jaunes d'œufs.

Mettre à chauffer un bain-marie (il ne devra pas dépasser 60° C, sinon les œufs pourraient coaguler).

Tamiser la farine sur un papier, réserver.

Placer la calotte sur le bain-marie, battre énergiquement au fouet le mélange œufs-sucre pour le rendre mousseux et léger.

Dès que le mélange aura quadruplé de volume et sera tiède (40° C), le retirer du bain-marie et continuer à le battre vivement.

Le mélange blanchit, s'épaissit et forme le ruban.

Dès que la masse est presque froide, retirer le fouet. Incorporer délicatement la farine en pluie à l'aide d'une spatule.

Incorporer éventuellement le beurre fondu. Dès que l'on n'aperçoit plus de trace de farine, le mélange est terminé.

Fariner le moule à génoise, le retourner et le tapoter pour éliminer l'excédent de farine.

Remplir le moule aux 2/3.

Cuire aussitôt à 180° C pendant 35 à 40 minutes. La pâte est cuite lorsqu'on entend un crissement en appuyant dessus légèrement et qu'elle reprend sa forme initiale.

Démouler sur une grille recouverte d'un linge.

Pâte à quatre-quarts à l'orange

6 pers.   ✗✗ ◯◯
Prép. : 15 mn.
Cuiss. : 40 mn. à 170° C.

---

2 œufs + 1 jaune
125 g. de beurre
125 g. de sucre fin
125 g. de farine
1 zeste d'orange râpé
2 cl. de Cointreau
Quelques gouttes d'extrait de vanille
3 g. de levure chimique.

Réduire le beurre en pommade à l'aide d'un fouet. Ajouter le sucre. Travailler le mélange pour le blanchir et le rendre plus crémeux.

Ajouter le zeste d'orange râpé, le Cointreau et la vanille. Incorporer les œufs et le jaune en plusieurs fois. Travailler à nouveau.

Incorporer délicatement la farine et la levure à la spatule.

Mettre dans un moule à cake chemisé de papier sulfurisé, d'une longueur de 20 à 25 cm.

Après 10 minutes de cuisson, inciser la croûte sur toute la longueur à l'aide d'un couteau d'office, pour permettre à la pâte de monter. Poursuivre la cuisson.

Ce gâteau peut se servir avec une crème anglaise, une macédoine de fruits, un thé, ou sur un buffet de cocktail. On peut le décorer de segments d'oranges, de bigarreaux, d'angélique, de pistaches, d'amandes grillées et le lustrer de nappage blond.

CHEMISER UN MOULE

Dessiner le tour du moule sur une feuille de papier sulfurisé.

Découper la forme.

Tapisser le moule avec le papier en appuyant dans les coins.

CONSEIL

N'enlever le papier qu'au moment de servir. Le gâteau desséchera moins ainsi.

Pâte à savarin, baba, marignan

Pâte à tulipes

10 à 12 pers. suivant la ✕✕ ○
taille des moules.
Prép. : 10 mn.
Fermentation : 1 h. 30 mn.
Cuiss. : 10 à 12 mn. à 200° C.

Pour 400 g. environ ✕ ○
Prép. : 5 mn.
Cuiss. : 5 mn.

---

250 g. de farine
4 g. de sel
20 g. de sucre
15 g. de levure
8 cl. d'eau tiède
3 œufs
80 g. de beurre fondu.

---

100 g. de farine
100 g. de sucre glace
4 blancs d'œufs
1 cl. de crème.

Procéder comme pour la pâte à brioche sans mettre la totalité de l'eau au départ. Pétrir dans un saladier pour bien lisser la pâte et lui donner du corps (élasticité). Ajouter peu à peu l'eau restante.

Laisser lever (fermenter) dans un endroit tempéré (30°), couvert d'un linge, à l'abri des courants d'air. Quand la pâte a triplé de volume, ajouter le beurre fondu (mais non bouillant, pour ne pas tuer les ferments). Bien l'incorporer.

Garnir aux 2/3 les moules préalablement beurrés, laisser lever jusqu'aux bords, et mettre à cuire aussitôt à four moyen.

La pâte à baba et à savarin est plus molle et plus riche en levure pour permettre un développement important et rapide de bulles gazeuses facilitant ainsi son imbibage.

Tamiser farine et sucre glace dans un saladier. Les travailler au fouet avec les blancs et la crème jusqu'à ce que la pâte devienne lisse.

LES CREMES

Crème anglaise

Pour 7 dl. environ XX OO
Prép. : 10 mn.
Cuiss. : 10 mn.

1/2 l. de lait
5 jaunes d'œufs
125 g. de sucre
1/2 gousse de vanille ou extrait
de vanille.

Porter le lait et la vanille à ébullition dans une casserole à fond épais au préalable humidifiée.

Travailler les jaunes et le sucre au fouet, dans un cul-de-poule, jusqu'à ce que le mélange blanchisse.

Ajouter en remuant le premier tiers du lait bouillant, puis le 2e.

S'assurer que le lait n'a pas attaché puis remettre le mélange à chauffer à feu doux en remuant avec une spatule en bois. Contrôler la cuisson : la crème doit napper la spatule.

La crème ne doit surtout pas bouillir, les jaunes se décomposeraient.

REMARQUE

Il ne faut pas blanchir longuement les jaunes. Cela les rend mousseux et la cuisson serait difficile à contrôler.

Dès que la cuisson est terminée, la passer au chinois pour la refroidir et la débarrasser des impuretés qu'elle pourrait contenir (germes d'œufs, morceaux de coquilles). Placer le récipient dans un bain-marie d'eau froide. Remuer pour favoriser son refroidissement.

Dès que possible, mettre au réfrigérateur.

CONSEIL

Il est important de bien remuer la crème quand on la fait cuire, pour répartir la chaleur.

La crème est plus onctueuse si la cuisson est douce et prolongée.

En cas de surcuisson, on peut rattraper la crème en la fouettant puis en la passant au chinois.

Crème au beurre

Pour 400 g. environ   XX ⚭
Prép. : 20 mn.
Cuiss. : 10 mn.

1 œuf + 3 jaunes
180 g. de sucre
5 cl. d'eau
250 g. de beurre.

Porter le sucre et l'eau à ébullition sur feu moyen. Remuer au début pour éviter la caramélisation du sucre.

Maintenir à ébullition pour obtenir une concentration de sucre, température 117° C. C'est la cuisson dite au petit boulé. La vérifier consiste à tremper une cuillère dans l'eau froide, puis dans le sucre en cuisson, et à nouveau dans l'eau froide. La consistance du sucre déposé sur la cuillère doit alors permettre de former une petite boule, d'où l'appellation "petit boulé".

Verser alors le sucre cuit en un mince filet sur les œufs et les jaunes, en fouettant énergiquement.

Continuer à fouetter pour alléger la préparation qui épaissit et blanchit en refroidissant.

Quand la masse est refroidie (15 à 18° C), incorporer le beurre en pommade, en fouettant pour rendre la préparation homogène.

Parfumer à volonté.

Si la crème est réfrigérée, il faudra la réchauffer et la travailler à nouveau pour la remettre à température et lui rendre son aspect initial.

VARIANTE

1 œuf
125 g. de sucre + 3 cl. d'eau
cuits au petit boulé
125 g. de beurre.

Même technique de fabrication que pour la crème au beurre précédente.

Crème d'amandes

Pour 250 g. de crème ✗ ◯◯
Prép. : 5 mn.

50 g. de beurre
65 g. de sucre
65 g. de poudre d'amande
1 petit œuf
1 cl. de kirsch ou de rhum.

Ramollir le beurre, le réduire en pommade.

Ajouter le sucre, la poudre d'amande et l'œuf. Mélanger à nouveau pour rendre la crème bien homogène.

Ajouter le kirsch ou le rhum.

Crème bavaroise

Pour 900 g. de crème. ✗✗ ◯
Prép. : 10 mn.
Refroidissement : 30 mn.
Repos : 1 h.

30 cl. de lait
3 jaunes d'œufs
90 g. de sucre
3 feuilles de gélatine (soit 6 g.)
30 cl. de crème fouettée.

Porter le lait à ébullition à feu doux.

Mettre la gélatine à tremper à l'eau froide.

Blanchir le sucre et les jaunes d'œufs.

Verser le lait bouillant. Mélanger. Remettre sur le feu et cuire à la nappe comme une crème anglaise. Interrompre la cuisson. Ajouter la gélatine essorée. La dissoudre en remuant.

Passer au chinois. Mettre à refroidir dans un bain-marie d'eau froide avec des glaçons.

Incorporer délicatement la crème fouettée lorsque le mélange est froid mais non pris.

Aromatiser.

Si la crème anglaise prend avant de mettre la crème fouettée, il suffit de la réchauffer quelques secondes sur un feu doux ou au bain-marie et de la lisser au fouet.

Crème fouettée

Crème Chantilly

CONSEIL

La taille du récipient doit être choisie en fonction de la quantité de crème.

Il faut toujours utiliser une crème bien fraîche. C'est la crème fluide qui donne les meilleurs résultats, mais on peut également utiliser de la crème épaisse détendue avec un peu de lait.

Une règle à suivre pour réussir la chantilly : le récipient, la crème et la pièce doivent être froids.

Il ne faut pas battre la crème trop longtemps. Les molécules de matières grasses s'agglomèrent et forment du beurre. Ne pas le jeter, il peut servir à la confection de gâteaux.

Pour 25 cl. de crème ✕ ○
Prép. : 5 mn.

25 cl. de crème fleurette.

Tous les éléments doivent être bien frais (crème, fouet, récipient).

Si on ne l'utilise pas tout de suite, la fouetter à nouveau au moment de l'employer.

Pour 300 g. environ ✕ ○
Prép. : 10 mn.

25 cl. de crème fleurette
40 g. de sucre glace
Quelques gouttes d'extrait de vanille.

Battre la crème. Au bout de quelques minutes, la crème est mousseuse et mate, puis tient dans le fouet.

Il faut alors ajouter le sucre et la vanille et la "serrer", c'est-à-dire la fouetter énergiquement pour la raffermir.

Attention ! Il faut s'arrêter à temps, sinon elle se sépare.

Crème ganache

Pour garnir

Pour 500 g. environ ✕ ⊕
Prép. : 45 mn.
Cuisson : 5 mn.

10 cl. de lait
5 cl. de crème
375 g. de chocolat.

Porter à ébullition le lait et la crème. Concasser le chocolat. Verser le lait et la crème sur le chocolat et, hors du feu, le faire fondre en remuant avec un fouet.

Laisser refroidir jusqu'à presque totale solidification.

Réchauffer un peu et remuer énergiquement pour faire blanchir le mélange.

La crème ganache doit rester souple pour permettre le garnissage des gâteaux.

Elle s'utilise comme une crème au beurre.

Pour glacer

Pour 300 g. environ ✕ ⊕
Prép. : 5 mn.
Cuisson : 5 mn.

200 g. de couverture ou très bon chocolat
100 g. de beurre.

Hacher grossièrement le chocolat et le mettre à fondre au bain-marie avec le beurre.

Bien mélanger à la spatule et utiliser à une température de 30° à 35° C.

Peut également se passer au pinceau.

Crème pâtissière

Pour 800 g. environ ✕ ○
Prép. : 10 mn.
Cuiss. : 10 mn.

1/2 l. de lait
3 jaunes d'œufs
125 g. de sucre
30 g. de farine
30 g. de maïzena ou de poudre
à crème
Extrait de vanille ou 1/4 de
gousse de vanille
ou 2 cl. de rhum.

Porter à ébullition sur feu pas trop vif 45 cl. de lait avec la vanille dans une casserole à fond épais au préalable humidifiée pour éviter que la caséine du lait n'attache.

Blanchir les jaunes d'œufs avec le sucre à l'aide d'un fouet. Ajouter la farine et la maïzena tamisées puis les 5 cl. de lait froid. Mélanger jusqu'à obtention d'une pâte lisse.

Ajouter en remuant un tiers du lait bouillant, puis le 2e tiers.

S'assurer que le lait n'ait pas attaché dans la casserole. Remettre le tout sur feu moyen et amener à ébullition en remuant énergiquement. Cuire environ 20 secondes.

Verser la crème dans un récipient en inox ou en pyrex pour accélérer le refroidissement. Saupoudrer la surface de sucre glace pour éviter la formation d'une peau.

Mélanger au fouet, lisser et parfumer au moment de l'emploi.

LES COULIS ET LES SAUCES

Coulis de fruit rouge

6 personnes Prép. : 10 mn.	✗ ◯◯

250 g. de fraises, de framboises ou de groseilles (fruits frais ou surgelés)
70 g. de sucre
Le jus d'1/2 citron.

Laver, équeuter les fruits s'ils sont frais, les mixer. Passer la pulpe au chinois, ajouter le citron, sucrer, réserver au frais.

Coulis de griotte

6 personnes Prép. : 10 mn. Cuis. : 10 mn.	✗✗ ◯◯

500 g. de griottes
200 g. de sucre en poudre
1 cuil. à soupe de kirsch.

Dénoyauter les griottes.
Verser dans une casserole, ajouter le sucre. Porter à ébullition. Réduire le feu. Laisser cuire 10 minutes.
Passer au mixer puis au chinois. Ajouter le kirsch.

Coulis de poire

6 personnes Prép. : 15 mn. Cuis. : 10 mn.	✗✗ ◯

500 g. de fruits frais.

Sirop léger :
300 g. d'eau
150 g. de sucre.

Eplucher et épépiner les fruits. Les pocher dans un sirop léger. Mixer, puis passer au chinois pour éliminer les fibres des fruits.
Si l'on utilise des poires au sirop en boîte, les mixer et les passer au chinois.

On peut procéder de même avec des abricots.

"Sauce" de pêche à la menthe

6 personnes ✕✕ ◯
Prép. : 20 mn.
Repos : 1 h.

---

1 boîte de pêches au sirop 4/4 ou
4 belles pêches fraîches
émondées et pochées au sirop
20 cl. de vin blanc sec + 60 g. de
sucre
Quelques gouttes d'eau de fleurs
d'oranger
12 feuilles de menthe fraîche
finement hachées.

Réunir le vin blanc, le sucre, la menthe et l'eau de fleurs d'oranger. Laisser macérer au frais 1 heure.

Couper les pêches en fines lamelles, les disposer dans le fond des coupes à glace ou des assiettes, en prévoyant la place pour un sorbet par exemple.

Au moment de servir, disposer une boule de sorbet au centre et arroser avec la préparation.

VARIANTE

On peut également réaliser cette garniture avec des ananas, des oranges, des poires, suivant le dessert que l'on veut accompagner.

Sauce chocolat

6 personnes ✕ ⚭
Prép. : 5 mn.
Cuiss. : 5 mn.

12 cl. de lait
150 g. de chocolat.

Concasser le chocolat. Verser le lait bouillant et mettre au bain-marie. Rectifier la consistance au moment de servir.

Au besoin, si la sauce est trop épaisse, ajouter un peu de lait froid.

Sauce caramel

6 personnes ✕✕ ○
Prép. : 10 mn.
Cuiss. : 15 mn.

Caramel :
100 g. de sucre
3 cl. + 3 cl. d'eau.

1/2 l. de lait
5 jaunes d'œufs
50 g. de sucre.

Faire cuire le sucre avec 3 cl. d'eau. Lorsque le caramel prend une couleur blond foncé, arrêter la cuisson en versant 3 cl. d'eau avec précaution.

Verser le lait et porter à ébullition en remuant pour dissoudre le caramel. Finir la préparation comme une crème anglaise (p. 44).

Sauce anisette

6 personnes ✕ ○
Prép. : 5 mn.
Cuiss. : 5 mn.

1/2 l. de lait
5 jaunes d'œufs
125 g. de sucre
1/2 gousse de vanille
Quelques graines d'anis.

Faire chauffer le lait avec quelques graines ou fleurs d'anis.

Préparer une crème anglaise vanille (voir p. 44).

Filtrer après refroidissement. On peut ajouter 1 ou 2 cl. d'anisette.

Sauce praliné

6 personnes   ✗ ⊙⊙
Prép. : 10 mn.
Cuiss. : 10 mn.

1/2 l. de lait
5 jaunes d'œufs
40 g. de sucre
1/2 gousse de vanille
80 g. de praliné.

La préparation est la même que pour une crème anglaise (p. 44). Le praliné est ajouté après refroidissement en le délayant avec un peu de sauce.

Sauce menthe

6 personnes   ✗ ⊙
Prép. : 10 mn.
Cuiss. : 10 mn.

1/2 l. de lait
5 jaunes d'œufs
125 g. de sucre
Menthe fraîche.

Faire infuser quelques feuilles de menthe fraîche dans le lait en le portant à ébullition, puis préparer comme une crème anglaise (voir p. 44). Laisser refroidir, passer au chinois. On peut renforcer le parfum avec quelques gouttes de liqueur de menthe.

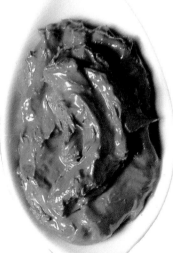

Sauce vanille

6 personnes   ✗ ⊙
Prép. : 10 mn.
Cuiss. : 10 mn.

1/2 l. de lait
5 jaunes d'œufs
125 g. de sucre
1/2 gousse de vanille.

Se prépare comme la crème anglaise (p. 44).

On peut aussi la parfumer avec de l'extrait liquide de vanille.

QUELQUES TOURS DE MAINS

LA CUISSON DU SUCRE

LE SIROP LEGER

1.142 de densité (18° Beaumé). Pour le trempage des babas, des savarins.

500 g. de sucre
1 l. d'eau.

Porter à ébullition le sucre et l'eau.

Peut s'agrémenter de vanille, de cannelle, de zeste d'orange ou de citron.

Il s'utilise bouillant pour le trempage.

LE SIROP LOURD

1.262 de densité (30° Beaumé). Pour imbiber les gâteaux, ramollir les sirops, les pâtes d'amandes, ou lier une salade de fruits.

1 kg. de sucre
1 l. d'eau.

Porter à ébullition, laisser refroidir. Conserver au frais.

LE SUCRE CUIT

Dissoudre 1 kg. de sucre avec 25 à 30 cl. d'eau.

Ne plus remuer un sucre après ébullition. La cuisson se vérifie en plongeant une cuillère mouillée dans le sucre puis en la retrempant dans l'eau froide. A 107° C, le sucre va former un filet. C'est le **"petit ou grand filet"**.

Lorsque la température du sirop est de 117° C, le sucre forme une petite boule molle d'où le nom de cuisson "**au petit boulé**". Il s'utilise pour les crèmes au beurre et la meringue italienne.

Pousser la concentration jusqu'à évaporation complète de l'eau, en surveillant la propreté de la casserole. Le sucre doit pouvoir casser, d'où le nom de cuisson "**au grand cassé**" (145° C).

Il s'utilise ainsi pour le montage des pièces montées.

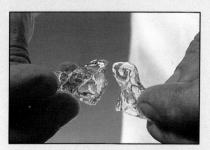

DETAILLAGE ET CUISSON DE LA PATE FEUILLETEE

Prendre la pâte nécessaire à la grandeur du moule ou de la plaque.

La rouler doucement (la pâte doit conserver la forme initiale carrée ou rectangulaire) et lui donner l'épaisseur désirée (3 mm pour un mille-feuille ou une tarte), sinon il y aura, à la cuisson, un retrait de la pâte disproportionné, et la

forme souhaitée ne serait pas respectée.

La pâte feuilletée détaillée sera renversée sur une plaque humidifiée en veillant bien à

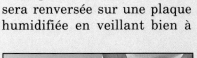

ce que la partie en contact avec la plaque soit sans farine.

L'excédent s'élimine à l'aide d'une brosse ou d'un pinceau. Dans le cas contraire, la pâte collerait à la plaque pendant la cuisson.

Laisser encore reposer quelques instants avant de cuire à four chaud 220° C pour que la pâte soit saisie et se soulève. Maintenir la température jusqu'à ce que les pièces soient légèrement colorées. Réduire un peu la température pour dessécher la pâte.

CHEMISER DE CARAMEL

1. Verser le caramel dans le moule.

2. Le faire glisser sur les parois.

3. Pour les crèmes caramel, il suffit d'en verser un peu au fond d'un ramequin ou au fond d'un moule.

REALISER LES TULIPES ET LES CIGARETTES

1. Etaler la pâte au pinceau sur une plaque bien propre et légèrement beurrée.

2. Dès que les bords se colorent, les décoller de la plaque du four.

3. Mouler aussitôt les tulipes dans une coupe et appuyer avec un ramequin.

4. Si l'on veut y présenter des glaces ou de la salade de fruits, passer un peu de chocolat de couverture au pinceau.

5. Rouler les cigarettes sur un petit manche rond.

6. On peut également réaliser des cornets.

LES DESSERTS AUX FRUITS

6 pers. ✗ ○
Prép. : 5 mn.
Cuisson : 45 mn. à 200° C.

Pommes au four

6 pommes
50 g. de sucre
20 g. de beurre
1/2 l. d'eau
50 g. de confiture d'abricots ou
de groseilles
20 g. de sucre glace.

Laver les pommes, les évider avec un vide-pomme ou un couteau économe. Inciser la peau tout autour à mi-hauteur.

Les mettre dans un plat creux. Garnir le centre des pommes avec le beurre et le sucre. Verser l'eau au fond du plat.

Vérifier la cuisson. Les dresser sur plat de service. Mettre la confiture dans la cavité centrale, saupoudrer de sucre glace et répartir le jus de cuisson autour. Servir tiède.

6 pers.
Prép. : 20 mn.
Cuisson : 15 mn.

✗ ○

Poires et pruneaux au vin rouge

6 poires moyennes pas trop mûres
300 g. de pruneaux
3 dl. de vin rouge
100 g. de sucre
1/2 bâton de cannelle
1 zeste de citron ou d'orange.

Eplucher les poires, les vider par dessous avec la pointe du couteau économe. Les faire cuire dans une casserole appropriée à leur volume. Elles doivent baigner dans le sirop : 2 dl. de vin rouge, eau, sucre, cannelle et zeste. Les couvrir d'une assiette pour les maintenir immergées. On vérifiera la cuisson avec une pointe de couteau.

Mettre les pruneaux avec le reste de vin. Porter à ébullition. Surveiller la cuisson.

Dresser dans un grand saladier ou dans des compotiers individuels. On peut faire réduire la cuisson des deux fruits, la laisser refroidir et la servir avec.

6 pers.   XX O
Prép. : 40 mn.
Cuisson : 15 mn. à 150° C.

Compote de pommes et raisins secs meringuée

1 kg. de pommes
100 g. de sucre
10 cl. d'eau
50 g. de raisins secs.

Meringue :
2 blancs d'œufs
125 g. de sucre.

Cuire les pommes épluchées et épépinées avec l'eau et le sucre. Les mixer dès qu'elles sont cuites. Ajouter les raisins.

Dresser la compote dans un plat creux.

Préparer une meringue légère (p. 38). La dresser en quadrillage à l'aide d'une poche munie d'une douille cannelée. Saupoudrer de sucre. Passer à four moyen pour cuire la meringue. Servir tiède.

6 pers.   XX OO
Prép. : 20 mn.
Cuisson : 25 mn. à 180° C.

Poires chinoises

6 grosses poires pas trop mûres
50 g. de raisins secs
50 g. de miel
50 g. de cerneaux de noix brisés
30 g. de pignons
1 citron.

Eplucher les poires en leur laissant la queue. Les couper aux 2/3 de leur hauteur. Enlever les pépins pour former une petite cavité qui sera garnie avec les raisins, le miel et les cerneaux de noix légèrement hachés avec les pignons. Remettre le morceau formant le couvercle.

Les poser dans un récipient. Mouiller avec de l'eau à mi-hauteur, arroser les poires avec le jus d'un citron. Couvrir et cuire soit au four soit sur le feu. Vérifier la cuisson avec une lame de couteau et l'évaporation du liquide.

Retirer les poires, les dresser sur le plat de service. Faire réduire la cuisson si nécessaire et en arroser les poires au moment de servir.

6 pers.	✕ ○
Prép. : 15 mn.	

Fromage blanc aux fruits

600 g. de fromage blanc à 40 %
10 cl. de crème
100 g. de sucre.

Fruits tendres ou pochés :
1 poire
1 pêche
1 banane
1 orange
2 tranches d'ananas
100 g. de fraises.

Décoration :
1 orange
1 kiwi
6 fraises ou framboises.

Battre le fromage blanc avec le sucre et la crème afin de le rendre plus léger. Couper les fruits en salpicon après les avoir débarrassés de leur peau et de leur membrane. Mouler en alternant les couches de fromage blanc et de fruits. Terminer par du fromage blanc et un décor fait de suprêmes d'orange, de tranches dc kiwi et de quelques fraises ou framboises.

Soupes de fruits

6 pers.   ✕ ⚭
Prép. : 20 mn.

2 figues
1 poire au sirop
1 petit ananas
6 oranges
1 mangue mûre
2 kiwis
6 fraises.

Recette n° 1 :

Prélever les suprêmes des oranges en récupérant le jus.
Couper en fines tranches tous les autres fruits, après les avoir épluchés.
Disposer harmonieusement sur assiettes.
Ajouter suivant la maturité des fruits et le goût de chacun un peu de sucre ou un peu de sirop.

6 personnes   ✕ ⚭
Prép. : 15 mn.

1 petit ananas
4 oranges
1 mangue mûre
1 grosse banane
1 pomme
2 kiwis
Quelques cerises
100 g. de confiture d'abricots.

Recette n° 2 :

Couper les fruits en dés de 1 cm.
Détendre la confiture avec un peu d'eau. La passer à la passoire fine. Mélanger aux fruits.
Servir dans des coupes ou des assiettes creuses.

6 personnes   ✕ ⚭
Prép. : 15 mn.

200 g. de raisin blanc
3 figues
3 poires pochées
3 oranges
2 mangues ou 1 melon suivant la saison.

Recette n° 3 :

Couper tous les fruits, sauf le raisin et les figues, en dés de 1 cm.
Récupérer le jus. Déposer les fruits dans les assiettes.
Arroser avec le jus. Décorer avec le raisin et des tranches de figue.

6 pers. ✕ ⚭
Prép. : 20 mn.
Cuisson : 1 mn. sous le gril.

Gratin de fruits rouges

200 g. de génoise fine (p. 40)
250 g. de fruits rouges
2 cl. de kirsch
10 cl. de sirop lourd (p. 54).

Sabayon :
10 cl. de crème
3 jaunes d'œufs
100 g. de sucre
              30 g. de cassonade.

Disposer dans le fond d'un plat à gratin, ou d'un plat de service légèrement creux, une fine tranche de génoise. L'imbiber avec le sirop lourd parfumé au kirsch ou à l'alcool de framboise.

Disposer les framboises sur toute la surface et les napper au dernier moment, c'est-à-dire quelques minutes avant de servir avec un sabayon à la crème. Saupoudrer avec la cassonade ou la vergeoise. Passer l'ensemble quelques secondes sous le gril brûlant du four. La surface doit glacer et devenir d'une couleur foncée. Servir aussitôt.

On peut faire ce gratin avec des framboises, des fraises, des myrtilles, des ananas, des suprêmes d'orange. Le gratin gitan est un gratin avec tous les fruits tendres ou pochés et des bananes.

Le sabayon :

Faire bouillir la crème, la verser sur les jaunes d'œufs et le sucre fortement blanchis. Bien délayer, remettre le tout dans la casserole et fouetter l'ensemble sur feu doux. Laisser refroidir un peu le sabayon. Le fouetter au moment de napper les fruits.

Le même sabayon peut se faire avec un bon vin blanc sec. Dans ce cas, délayer le sucre et les jaunes avec le vin blanc froid puis continuer de la même façon.

Ce genre de sabayon a quelquefois un petit goût de vin blanc pas désagréable du tout mais que tout le monde n'apprécie pas. On pourra donc également le parfumer avec une liqueur (Grand Marnier, Marsala).

Le sabayon à la crème anglaise, beaucoup plus neutre de goût, a les mêmes utilités et supporte tous les parfums. De plus, après refroidissement et fouettage, il peut être mélangé à du beurre en pommade (250 g.) et produire ainsi une crème au beurre à l'anglaise.

Mélangé avec de la crème fouettée (200 g.), on obtient un intérieur de bombe (dit pâte à bombe). C'est la base des parfaits, biscuits glacés, soufflés glacés.

LES
MOUSSES

6 pers.	✕✕✕ ◯◯
Prép. : 25 mn.	
Cuisson : 10 mn.	
Repos : 3 h. au frais.	

Marquise au chocolat

60 g. de couverture ou de bon chocolat amer
60 g. de cacao amer
110 g. de beurre.

Pâte à bombe :
3 jaunes d'œufs
150 g. de sucre
3 cl. d'eau.

20 cl. de crème fouettée.

Faire fondre le chocolat avec le beurre au bain-marie à 40° C. Ajouter le cacao, mélanger au fouet.

Préparer la crème fouettée.

Préparer une pâte à bombe (p. 206).

Quand les éléments sont prêts et l'appareil à bombe refroidi, retirer du bain-marie le mélange chocolat. Il ne doit pas être trop chaud.

Réunir les trois composants et les mélanger énergiquement.

Verser en moule ou en cercle avec disque de biscuit ou de génoise comme la plupart des mousses (voir recette de la mousse chocolat, p. 79).

CONSEIL

Ce dessert peut également être réalisé en gâteaux individuels.

Si l'on ne dispose pas de petits cercles à gâteaux, le moulage peut se faire dans des ramequins.

Miroir à la framboise

6 pers.
Prép. : 40 mn.
Cuisson : 10 mn.
Repos : 2 h. au frais.

XX ◯

Gelée de fruit pour tapisser le fond du moule :
50 g. de gelée de framboise
50 g. d'eau
1 feuille de gélatine.

Mousse de framboise :
1/4 l. de jus de framboise
100 g. de sucre
2 cl. d'alcool de framboise
3,5 feuilles de gélatine
1 cuillerée à soupe de jus de citron
1/4 l. de crème fouettée.

50 g. de biscuits à la cuiller
2 disques de génoise.

Préparer la gelée de fruits :

Mettre à fondre la gelée et l'eau dans une petite casserole. Ajouter la gélatine au préalable trempée dans de l'eau froide et essorée. S'assurer à nouveau que la gelée soit bien fondue et la verser au fond d'un moule à manqué. Mettre au froid.

Préparer la mousse :

Chauffer la moitié du jus de framboise à 65° C, retirer du feu et y incorporer la gélatine. Ajouter le sucre et le reste de jus de fruit et de citron. Mettre à refroidir. Quand la masse épaissit, incorporer délicatement la crème fouettée.

Montage de la mousse :

Déposer une couche d'1 cm de mousse sur la gelée de fruit prise. Ranger tout autour les biscuits à la cuiller imbibés de sirop et coupés en deux. Ajouter un petit disque de génoise ou de biscuit imbibé pour former un fond.

Verser le restant de la mousse et terminer en déposant un dernier fond de génoise ou bien des biscuits préalablement imbibés (face imbibée vers l'intérieur).

Réserver au réfrigérateur au moins 2 heures. Pour gagner du temps, on peut déposer le miroir 1 heure au congélateur. On peut également le préparer la veille.

1. Disposer les biscuits à la cuiller.

2. Déposer le 1er disque sur la mousse.

3. Finir de remplir avec la mousse. Poser le dernier disque et appuyer légèrement.

Mousse au chocolat

6 pers. ✗✗ ◯◯
Prép. : 20 mn.
Cuisson : 10 mn.

Ganache :
75 g. de bon chocolat
11 cl. de lait
25 g. de cacao
50 g. de beurre.

Meringue italienne :
2 blancs d'œufs
90 g. de sucre
3 cl. d'eau.

1/4 l. de crème fouettée.

Recette n° 1 :

Préparer la meringue italienne (p. 38).

Pour la ganache, faire bouillir le lait et le beurre. Ajouter le chocolat concassé, retirer du feu et mélanger au fouet. S'assurer que le chocolat soit fondu en remuant encore un peu, ajouter le cacao, mélanger à nouveau. Laisser refroidir à 30° C. Incorporer le meringage italien refroidi et la crème fouettée.

Dresser en gros saladier, réserver au frais.

Cette recette a l'avantage de pouvoir se préparer la veille pour le repas de midi sans aucun risque. Couvrir d'un papier aluminium et la garder au réfrigérateur.

6 pers. ✗✗✗ ◯◯
Prép. : 30 mn.
Cuisson : 20 mn.

Base :
50 g. de chocolat
75 g. de beurre
50 g. de cacao.

Appareil à bombe :
2 jaunes d'œufs
75 g. de sucre.

Meringue italienne :
2 blancs d'œufs
75 g. de sucre.

1,4 l. de crème fouettée.

Recette n° 2

Faire fondre au bain-marie le chocolat et le beurre. Ajouter le cacao, mélanger. Garder le mélange à peine tiède.

Préparer un appareil à bombe. Laisser refroidir.

Préparer une meringue italienne. Laisser refroidir.

Monter la crème fouettée.

Mélanger au fouet avec délicatesse les 4 composants de la mousse. Dresser en saladier ou en coupes individuelles et mettre au frais.

Cette façon de faire la mousse a l'avantage de stériliser partiellement les œufs (blancs et jaunes) entrant dans la préparation.

8 pers.	✕✕ ⚭
Prép. : 20 mn.	
Repos : 3 h. au frais.	

Mousse chocolat

Ganache :
125 g. de crème
180 g. de chocolat amer.

Meringue italienne :
2 blancs d'œufs
75 g. de sucre.

Punch :
30 g. de sucre
50 cl. d'eau
2 cl. de Cointreau.

Garniture :
Génoise ou biscuits à la cuiller.

1/4 l. de crème fouettée.

Préparer la ganache (p. 48), la meringue (p. 38) et la crème fouettée.

Quand tous les éléments sont refroidis, mélanger les trois composants en une seule fois.

Mettre un papier sulfurisé au fond d'un moule à génoise. Recouvrir de 2 cm de mousse au chocolat. Poser un disque de génoise ou une couche de biscuits d'1 cm d'épaisseur et d'un diamètre inférieur d'1/2 cm à celui du moule. Imbiber ce disque de génoise avec le punch parfumé avec le Cointreau. Ajouter le restant de la mousse en ayant soin de bien garnir autour du fond de biscuit. Terminer par un deuxième disque de génoise de la grandeur du moule, également imbibé sur le côté en contact avec la mousse. Appuyer pour faire adhérer, mettre au réfrigérateur pendant au moins 3 heures.

Pour le démoulage, passer une lame de couteau d'office tout autour de la mousse, placer un plat à gâteau à l'envers par-dessus. Renverser l'ensemble et secouer pour faire tomber le gâteau (on peut le démouler sur un carton à pâtisserie). Retirer le papier sulfurisé, lisser avec une spatule métallique si besoin.

Saupoudrer de cacao amer.

On peut accompagner d'une saucière de crème anglaise parfumée à la menthe.

Facultatif : si le temps de refroidissement est assez court, on peut ajouter une feuille de gélatine dans la ganache chaude ou la meringue italienne chaude.

1. Couler 2 cm de mousse au chocolat au fond d'un moule tapissé de papier sulfurisé.

2. Poser le 1er disque de génoise (ou une couche de biscuits à la cuiller). Imbiber de sirop.

3. Démouler. Retirer le papier sulfurisé et lisser à la spatule.

8 pers.
Prép. : 10 mn.
Cuisson : 5 mn.
Repos : 2 h. au frais.

Mousse au chocolat blanc

320 g. de chocolat blanc
5 dl. de crème fouettée pas trop
ferme.

Faire fondre le chocolat blanc au bain-marie à 40° C. Retirer du bain-marie. Verser 1/5 de la crème sur le chocolat en fouettant vigoureusement, remettre quelques secondes au bain-marie pour lisser le mélange, ajouter à nouveau 1/5 de crème et fouetter vigoureusement, bien lisser et remettre au bain-marie si nécessaire.

Ajouter les 3/5 de crème restants, mélanger délicatement. Mettre au frais. Peut se servir en saladier ou en coupes.

8 pers.
Prép. : 10 mn.
Cuisson : 5 mn.
Repos : 2 h. au frais.

Mousse au chocolat au lait

320 g. de couverture ou de bon chocolat au lait
5 dl. de crème fouettée pas trop ferme.

Faire fondre le chocolat au bain-marie à 40° C. Retirer du bain-marie, verser la crème fouettée petit à petit sur le chocolat en fouettant énergiquement.

Mettre au frais.

Peut se mouler en coupe ou en flûte.

REMARQUE

On peut faire une terrine aux trois chocolats avec les trois mousses précitées et les mouler avec deux fines couches de biscuit ou de génoise imbibées de sirop lourd et de Grand Marnier entre chaque parfum.

8 pers.
Prép. : 10 mn.
Cuisson : 5 mn.
Repos : 3 h. au frais.

Mousse au chocolat noir

250 g. de couverture ou de bon chocolat amer
5 dl. de crème fouettée pas trop ferme.

Faire fondre le chocolat au bain-marie à 40° C.

Retirer du bain-marie. Mélanger énergiquement au fouet un tiers de la crème. Ajouter le reste de la crème et à nouveau, fouetter énergiquement. Verser dans un moule à cake de 25 cm de long chemisé de papier sulfurisé pour favoriser le démoulage.

Mettre au frais pendant au moins 3 heures.

Démouler. Se coupe en tranches au moment de servir. S'accompagne de crème anglaise au parfum de votre choix.

6 pers.	✗✗ ○
Prép. : 20 mn.	
Cuisson : 10 mn.	
Repos : 3 h. au frais.	

Mousse au fromage blanc

300 g. de fromage blanc à 20 %
50 g. de crème fraîche
2 feuilles de gélatine.

Meringue italienne :
3 blancs d'œufs
125 g. de sucre.

Coulis :
300 g. de fruits de la passion,
de fraises ou de framboises.

Décor :
Feuilles de menthe,
grappes de groseilles,
framboises, cassis ou fraises,
suivant la saison.

Battre le fromage blanc avec la crème.

Faire une meringue italienne (voir p. 38). Y incorporer à chaud la gélatine trempée et égouttée.

Après refroidissement, mélanger l'ensemble avec le fromage blanc et la crème.

Verser dans un moule à génoise dont le fond est garni d'un disque de papier pour favoriser le démoulage ou dans de petits ramequins individuels préparés de la même façon. Mettre au réfrigérateur au moins 3 heures.

Démouler sur plat ou assiette en ayant soin de passer une lame de couteau autour de la mousse, la renverser sur une assiette en secouant doucement.

Décorer chaque portion avec le décor choisi et entourer la base d'un peu de coulis (p. 50).

6 pers.	✕ ◯◯
Prép. : 20 mn.	

Mousse aux fruits

2,5 dl. de purée de fruits (tous fruits)
100 g. de sucre
1 feuille de gélatine
2,5 dl. de crème fouettée.

Recette n° 1 :

Faire tiédir la moitié du jus de fruits. Y dissoudre la gélatine trempée à l'eau froide et essorée. Mélanger avec le restant de la pulpe. Sucrer. Après refroidissement, mélanger avec la crème fouettée et mouler en coupes ou en saladier.

Crème Chantilly :
3 dl. de crème
40 g. de sucre
Vanille.

Macédoine de fruits frais ou 1 boîte 1/2 de macédoine de fruits au sirop.

Recette n° 2

Mouler dans des ramequins en alternant les couches de chantilly et de fruits égouttés. Moulage et décor à la poche avec une grosse douille cannelée.

Décor au choix suivant la saison.

<table>
<tr><td>8 pers.
Prép. : 30 mn.
Cuisson : 10 mn.
Repos : 3 h. au frais.</td><td>XXX ∞</td></tr>
</table>

Mousse à l'abricot

1 biscuit (p. 32).

*Mousse :
200 g. d'abricots au sirop avec leur jus
3 feuilles de gélatine
2 dl. de crème.*

*Meringue italienne :
2 blancs d'œufs
100 g. de sucre.*

*Punch :
1 dl. de sirop lourd
2 cl. de kirsch.*

Mixer les abricots et leur jus. Passer au chinois pour enlever les fibres. Tiédir à 65° C la moitié du jus. Y dissoudre la gélatine ramollie à l'eau froide. Ajouter l'autre moitié. Après refroidissement, mélanger avec la crème fouettée et la meringue italienne (p. 38). Mouler comme la plupart des mousses avec des disques et un entourage de biscuit aux amandes imbibés de punch. Laisser prendre au frais.

Décorer le dessus de minces tranches d'abricot ou bien les incorporer au départ dans un fond de gelée à l'abricot. Dans ce cas, mettre un papier sulfurisé au fond pour faciliter le démoulage.

<table>
<tr><td>6 pers.
Prép. : 15 mn.</td><td>X O</td></tr>
</table>

Mousse de banane

*400 g. de bananes
1 jus de citron
60 g. de sucre
2,5 dl. de crème fouettée.*

Mixer la chair des bananes avec le jus de citron et le sucre. Incorporer la crème fouettée.

Servir en ramequins ou coupelles.

On peut décorer de rondelles de banane et de fruits rouges au dernier moment. Lustrer au nappage bouillant.

6 pers. ✗ ○
Prép. : 20 mn.
Cuisson : 10 mn.
Repos : 3 h. au frais.

Mousse commune citron-fraise ou cassis-mandarine

Préparation identique à un bavarois (p. 46). Diviser la crème bavaroise en deux. Les aromatiser différemment.

Cette mousse peut se mouler en coupe ou en ramequin. On peut également la présenter sous forme de gâteau (voir mousse à l'abricot p. 86).

Bavaroise :
2,5 dl. de lait
4 jaunes d'œufs
75 g. de sucre
3 feuilles de gélatine (6 g.)
250 g. de crème fouettée
Arôme au choix.

6 pers. ✗✗✗ ○○
Prép. : 30 mn.
Cuisson : 10 mn.
Repos : 3 h. au frais.

Mousse au citron

2 disques de biscuit ou de
génoise au chocolat (p. 40).

Bavarois :
12,5 cl. de lait
2 jaunes d'œufs
100 g. de sucre
4 feuilles de gélatine (8 g.)
3 dl. de crème
165 g. de jus de citron.

Gelée de fruits :
50 g. de confiture d'abricots
50 cl. d'eau
1 feuille de gélatine (2 g.).

Punch :
1,5 dl. de sirop lourd
5 cl. de jus de citron.

Garniture :
Génoise ou biscuits à la cuiller.

Préparer une crème anglaise collée à la gélatine, comme pour un bavarois. Après refroidissement, ajouter le jus du citron, laisser prendre légèrement, puis ajouter la crème fouettée.

Mouler comme le miroir à la framboise (p. 76).

8 pers.
Prép. : 30 mn.
Cuisson : 10 mn.
Repos : 3 h. au frais.

XXX ◯◯

Mousse à l'orange

2 disques de biscuit (p. 32) ou de génoise au chocolat (p. 40).

Bavarois :
12,5 cl. de lait
2 jaunes d'œufs
100 g. de sucre
4 feuilles de gélatine (8 g.)
3 dl. de crème
165 g. de jus d'orange.

Glaçage :
50 g. de confiture d'abricots
50 cl. d'eau
1 feuille de gélatine (2 g.).

Punch :
1 dl. de sirop lourd
8 cl. de jus d'orange
1 cl. de Cointreau.

Même recette que pour la mousse au citron (p. 87) en remplaçant le jus de citron par du jus d'orange.

On peut décorer de suprêmes d'orange et de julienne de zestes d'orange demi-confite.

6 pers.
Prép. : 20 mn.
Cuisson : 15 mn.

X◯

Mousse aux pommes

600 g. de pommes
Le jus d'1 / 2 citron
100 g. de sucre
2 cl. d'eau
1 feuille de gélatine
Calvados
2,5 dl. de crème fouettée.

Couper les pommes en petits dés, les cuire rapidement à couvert avec le jus de citron.

Les réduire en compote, ajouter à chaud la gélatine ramollie, puis laisser refroidir. Ajouter le calvados et la crème fouettée, mouler en coupes individuelles. Mettre à refroidir.

Décorer avec des quartiers de pomme sautés au beurre et caramélisés.

Peut se faire également avec des poires.

8 pers.	XX ○
Prép. : 20 mn.	
Cuisson : 10 mn.	
Repos : 2 h. au frais.	

Mousse aux pêches

1 génoise ou quelques biscuits à la cuiller
250 g. de pêches au sirop
2 jaunes d'œufs
60 g. de sucre
20 g. maïzena
2,5 feuilles de gélatine (5 g.)
2,5 dl. de crème fouettée.

Punch :
1,5 dl. de sirop lourd
1 cl. de kirsch.

Couper les pêches en petits dés. Les faire chauffer avec le sirop. Travailler 2 jaunes d'œufs avec le sucre et la maïzena. Y verser le mélange chaud, puis continuer comme pour une crème pâtissière (p. 49)

Après cuisson, incorporer la gélatine ramollie à l'eau froide. Laisser refroidir. Incorporer la crème fouettée.

Moulage comme les autres mousses avec disques de biscuits ou génoise punchée. Laisser prendre 2 heures au réfrigérateur.

Après démoulage, décorer de fruits émincés.

Peut se faire aux poires et se servir avec un coulis de fruit (p. 50).

Ajouter les pêches au mélange maïzena-œufs-sucre.

Incorporer la gélatine après cuisson.

Mouler comme les autres mousses.

Démouler. Décorer de fruits émincés.

LES
ENTREMETS

6 pers. ✕✕ ○
Prép. : 20 mn.
Cuisson : 40 mn. les petites
pièces, 1 h. les grosses pièces
à 170° C.

Crème pochée au caramel

Caramel :
100 g. de sucre
2,5 cl. + 2,5 cl. d'eau.

Appareil à crème renversée :
1/2 l. de lait
3 œufs
100 g. de sucre
1/2 gousse de vanille ou extrait.

Préparation du caramel :

Mettre à chauffer à feu moyen dans une petite casserole le sucre et 2,5 cl. d'eau. Mélanger avec une spatule jusqu'à ébullition. Cuire jusqu'à l'obtention d'un caramel blond foncé. Au besoin, s'aider d'un petit bout de papier pour contrôler la couleur. Arrêter la cuisson du sucre en le décuisant avec 2,5 cl. d'eau. Prendre quelques précautions : procéder au-dessus d'un évier, verser l'eau dans le caramel et, au besoin, faire couler de l'eau froide autour pour arrêter la cuisson. Mélanger avec une spatule en bois. Si besoin est, repasser le tout sur le feu pour favoriser le mélange. Caraméliser les moules (voir p. 60).

Préparation de l'appareil à crème renversée :

Mettre le lait à bouillir avec la vanille.

Casser les œufs dans un saladier, ajouter le sucre, battre avec un fouet pour rompre les œufs. Ajouter progressivement le lait bouillant en mélangeant au fouet. Passer au chinois. Retirer la mousse à l'aide d'une écumoire.

Remplir les moules caramélisés qui seront disposés dans un plat creux permettant de faire une cuisson au bain-marie (1/2 hauteur des moules dans l'eau). Monter en température sur le feu.

Protéger la surface de la crème en posant une plaque sur les moules, sans toutefois les fermer hermétiquement. L'eau ne doit pas bouillir mais frémir. Poursuivre la cuisson au four. La cuisson se contrôle en remuant doucement (on doit alors sentir que la crème est prise) ou en enfonçant la pointe d'un couteau d'office le long de la paroi du moule (si la crème est coagulée, le caramel remonte à la surface). Mettre à refroidir en remplaçant l'eau chaude du bain-marie précédent par de l'eau froide.

Crème renversée au caramel

6 pers. XX O
Prép. : 20 mn.
Cuisson : 30 à 50 mn. selon la
taille des moules à 170° C.
Repos : 2 h. au frais.

Caramel :
100 g. de sucre
2,5 cl. + 2,5 cl. d'eau.

Appareil à flan :
6 dl. de lait
4 œufs
100 g. de sucre
Extrait de vanille.

Préparer le caramel comme pour la crème pochée (p. 94).

Caraméliser les moules individuels, laisser refroidir un peu.

Préparer l'appareil à flan. Mettre le lait à chauffer à feu moyen avec la vanille dans une casserole mouillée avec un peu d'eau pour éviter que la caséine du lait n'attache au fond du récipient. Fouetter une ou deux fois le lait pendant qu'il chauffe.

Casser les œufs, ajouter le sucre, battre très légèrement au fouet pour mélanger sucre et œufs sans trop faire mousser. Dès que le lait bout, en rajouter un tiers pour réchauffer les œufs, puis le reste progressivement. Passer le mélange au chinois ou dans une passoire fine pour éliminer les germes et les impuretés. Remplir les moules caramélisés. Les mettre dans une plaque creuse (ou moule à gratin), laquelle aura été garnie au fond d'un papier sulfurisé pour empêcher l'eau de bouillir et d'aller dans les moules. Garnir d'eau chaude à mi-hauteur. Mettre au four en couvrant non hermétiquement d'une tôle ou d'un couvercle. L'eau doit simplement frémir. S'assurer que la crème est pochée en piquant une lame de couteau le long du moule.

Mettre à refroidir au moins 2 heures. On peut accélérer le refroidissement en plaçant les moules dans un bain-marie d'eau et de glaçons. Pour démouler, passer délicatement une lame de couteau d'office le long de la paroi du moule, renverser l'ensemble sur une assiette et secouer légèrement. Dès que la prise d'air est effectuée, le flan se détache.

Ce dessert peut se faire la veille et peut se décorer de chantilly.

Crème mauresque

6 pers.   ✕✕ ◯
Prép. : 20 mn.
Cuisson : 30 à 50 mn. suivant la
taille des moules à 170° C.

Caramel :
100 g. de sucre
2,5 cl. + 2,5 cl. d'eau.

Appareil à flan :
6 dl. de lait
4 œufs
100 g. de sucre
Extrait de café.

La préparation est la même que pour la crème renversée au caramel (p. 95) : caraméliser les moules, mais l'appareil à flan est parfumé au café.

Crème viennoise

6 pers.   ✕✕ ◯
Prép. : 20 mn.
Cuisson : 30 à 50 mn. suivant la
taille des moules à 170° C.

Caramel :
150 g. de sucre
3,7 cl. + 3,7 cl. d'eau.

Appareil à flan :
6 dl. de lait
4 œufs
50 g. de sucre.

Faire le caramel comme pour la crème renversée au caramel (p.95).

Caraméliser les moules avec la moitié du caramel. Faire chauffer le lait avec l'autre moitié dans la même casserole. Porter à ébullition pour faire fondre le caramel. Laisser refroidir quelques minutes pour ne pas surchauffer les œufs (le volume lait + sucre étant plus élevé en température). Finir comme pour la crème renversée au caramel.

6 pers.	✗✗ ○
Prép. : 20 mn.	
Cuisson : 25 mn. à 180° C.	

Crème Beau-Rivage

C'est une crème viennoise cuite dans un moule à savarin caramélisé, beurré et sucré.

Après refroidissement et démoulage, décorer le centre de crème Chantilly (p. 47).

Caramel :
150 g. de sucre
3,7 cl. + 3,7 cl. d'eau

Appareil à flan :
6 dl. de lait
4 œufs
50 g. de sucre.

6 pers.	✗ ○
Prép. : 10 mn.	
Cuisson : 30 mn. à 170° C.	

Pots de crème

La préparation est la même que pour l'appareil à flan (voir crème pochée p. 94).

On ne met pas de caramel au fond des moules, puisqu'ils ne se démoulent pas. De même, l'appareil est un peu moins solide.

Servir tel quel dans les ramequins, éventuellement décoré de crème Chantilly (p. 47).

Pots de crème assortis vanille-café-chocolat :
6 dl. de lait
1 œuf + 3 jaunes
100 g. de sucre
Vanille, extrait de café ou cacao amer.

6 pers. XX ◯◯	
Prép. : 20 mn.	
Cuisson : 25 mn. à 170° C.	

Crème bastille

Caramel :
100 g. de sucre
2,5 cl. + 2,5 cl. d'eau

Appareil à flan :
6 dl. de lait
4 œufs
100 g. de sucre
Extrait de vanille.

Garniture :
200 g. de crème Chantilly
50 g. de débris de macarons
200 g. de fraises.

Caraméliser le fond d'un moule à savarin, beurrer et sucrer le reste.

Garnir avec l'appareil à flan, cuire au bain-marie. Après refroidissement démouler, garnir le centre de chantilly et de débris de macarons. Décorer le tour de fraises.

8 pers. XX ◯	
Prép. : 20 mn.	
Cuisson : 3 mn.	

Crème frite
(Beignets de Divonne)

Crème pâtissière :
3 dl. de lait
3 œufs
125 g. de sucre
80 g. de crème de riz.

Pâte à frire (p. 37).

Finition :
20 g. de sucre glace.

Préparer la crème pâtissière (voir p. 49). Etaler sur une plaque ou dans un plat beurré et fariné sur une épaisseur de 2 cm. Laisser refroidir.

Diviser en morceaux de 5 cm x 5 cm. Les tremper dans la pâte à frire et les plonger dans le bain de friture à 180° C. Colorer sur les deux faces en les retournant. Les égoutter. Saupoudrer de sucre glace et passer sous le gril ou à four très chaud pour glacer. Servir tiède.

8 pers. XX ◯	
Prép. : 30 mn.	
Cuisson : 3 mn.	

Crème frite

Crème pâtissière :
1/2 l. de lait
2 œufs + 6 jaunes
60 g. de sucre
125 g. de farine
25 g. de beurre.

La préparation est la même que pour les beignets de Divonne.

Les paner à l'anglaise, c'est-à-dire les passer dans la farine, dans les œufs battus avec 1 cl. d'huile et 2 cl. d'eau puis dans la chapelure.

Les faire frire immédiatement.

6 pers.
Prép. : 1 h.
Cuisson : 30 mn.

✗✗ ◯◯

Ile flottante I

Gâteau de Savoie :
3 jaunes d'œufs
90 g. de sucre
45 g. de fécule
45 g. de farine
3 blancs d'œufs montés en
neige.

100 g. de confiture d'abricots
30 g. d'amandes effilées grillées
blondes
50 g. de raisins secs
10 g. de pistaches
100 g. de crème Chantilly
Parfumer 100 g. de sirop lourd
(p. 22) avec 3 cl. de kirsch.

Crème anglaise :
1/4 l. de lait
2 jaunes d'œufs
60 g. de sucre
Vanille.

Faire le biscuit (voir p. 32).

Dès que le biscuit est refroidi, le couper en trois dans le sens horizontal de façon à obtenir 3 disques.

Montage du gâteau :

Imbiber le premier disque avec le sirop parfumé. Garnir avec la moitié de la confiture. L'étaler régulièrement sur toute la surface. Répartir 1/3 des amandes grillées et des raisins, poser le deuxième disque de biscuit.

Imbiber à nouveau, garnir avec le restant de la confiture, 1/3 des amandes et des raisins. Terminer par le dernier disque qui aura été imbibé du côté intérieur.

Masquer le dessus et le tour du gâteau avec beaucoup de chantilly.

Répartir les raisins secs, les amandes grillées et les pistaches concassées sur la crème Chantilly.

On peut ajouter 2 ou 3 pralines cassées en gros morceaux et des copeaux de chocolat (ne pas trop charger).

Dresser dans un plat creux et entourer la base de crème anglaise (p. 44) ou de coulis de fruit rouge (p. 50).

6 pers.
Prép. : 20 mn.
Cuisson : 20 mn. à 180° C.

✗✗ ◯

Ile flottante II

4 blancs d'œufs
250 g. de sucre
Zeste et jus d'1/2 citron
130 g. de nougatine hachée.

Monter les blancs en neige très ferme avec la moitié du sucre au départ et quelques gouttes de jus de citron.

Ajouter le restant du sucre avec la nougatine hachée en gros grains et le zeste de citron râpé.

Pocher au four au bain-marie dans un moule beurré et sucré. Protéger la surface si besoin est. Démouler sur un plat creux, entourer la base, après refroidissement, de crème anglaise (p. 44) ou d'un coulis de fruit (p. 50).

6 pers.	✕✕ ○
Prép. : 20 mn.	
Cuisson : 1 mn.	

Oeufs à la neige

Meringue :
5 blancs d'œufs
150 g. de sucre
1/4 de zeste de citron.

Crème anglaise :
1/2 l. de lait
5 jaunes d'œufs
125 g. de sucre
Vanille.

Préparer la crème anglaise (voir p. 44) assez tôt pour qu'elle soit bien froide. Monter les blancs en neige avec la moitié du sucre. Pour les rendre bien fermes, les serrer en ajoutant le reste du sucre avec un peu de zeste de citron râpé. Continuer à battre encore quelques minutes.

Mouler les blancs avec une cuillère à potage dans une eau frémissante et légèrement citronnée. Laisser frémir 15 à 20 secondes, retourner les blancs à l'aide d'une petite écumoire, laisser frémir le même temps, puis égoutter sur un torchon.

On pourra les recouvrir d'un filet de caramel, d'amandes grillées, de pistaches en bâtonnets ou de débris de nougatine.

Dresser la crème froide dans un grand saladier ou individuellement. Disposer les blancs d'œufs pochés.

On peut également les servir sur un coulis de fruit rouge.

6 pers. ✕ ○
Prép. : 20 mn.
Cuisson : 30 mn. à 200° C.

Clafouti aux cerises

300 g. de pâte brisée (p. 28).

Garniture :
1 boîte 4/4 de bigarreaux au sirop ou 500 g. de cerises.

Crème pâtissière :
4 dl. de lait
2 jaunes d'œufs
100 g. de sucre
50 g. de farine.

Foncer un cercle ou un moule à tarte. Piquer le fond, disposer 1/3 de crème pâtissière (voir p. 49). Garnir avec les bigarreaux au sirop égouttés. Recouvrir de crème pâtissière et mettre à cuire.

Si l'on utilise des fruits frais, les laver, les égoutter, les équeuter, mais laisser les noyaux. Le temps de cuisson sera un peu plus long.

6 pers. ✕ ○○
Prép. : 20 mn.
Cuisson : 30 mn. à 200° C.

Clafouti d'automne

Crème pâtissière :
7,5 dl. de lait
6 jaunes d'œufs
180 g. de sucre
80 g. de farine.

Garniture :
400 g. de pommes
100 g. de raisins
100 g. de bigarreaux au sirop
4 tranches d'ananas
2 bananes moyennes
50 g. de beurre.

Préparer une crème pâtissière (p. 49). Verser une petite couche de crème dans un plat à gratin (ou dans des plats individuels) beurré et fariné.

Disposer les fruits (les pommes finement émincées en éventail, les raisins, les bigarreaux au sirop dénoyautés, l'ananas coupé en petits morceaux et les bananes coupées en rondelles).

Verser le restant de la crème en recouvrant les fruits, arroser de beurre fondu.

Mettre à cuire.

Servir tiède dans le plat de cuisson.

Répartir les fruits sur la crème pâtissière.

Ajouter le restant de crème.

8 pers. ✂ ∞
Prép. : 20 mn.
Cuisson : 15 mn. à 200° C.

Poires Bourdaloue

Crème pâtissière :
1/2 l. de lait
4 jaunes d'œufs
100 g. de sucre
Vanille.

1 kg. de poires pochées
30 g. de débris de macarons ou
de débris de succès
10 g. d'amandes effilées
10 g. de sucre glace
20 g. de beurre fondu.

Préparer la crème pâtissière (p. 49).

Beurrer un plat à gratin. Etaler 1/3 de la crème au fond. Répartir dessus les macarons brisés grossièrement, ranger les demi-poires sur la crème et les recouvrir avec le reste en les nappant avec une cuillère.

Saupoudrer de sucre glace, parsemer de quelques amandes effilées et arroser avec le beurre fondu.

Mettre au four pour chauffer et colorer légèrement le dessus.

Servir tiède dans le plat.

6 pers. XX O
Prép. : 1 h.
Cuisson : 30 mn. à 220° C.

Charlotte aux pommes chaude

Chemisage :
500 g. de pain de mie
80 g. de beurre.

Garniture :
1 kg. de pommes golden
20 g. de beurre
50 g. de sucre
60 g. de mie de pain
1 g. de cannelle.

Finition :
50 g. de nappage blond.

Préparation et cuisson des pommes :

Eplucher les pommes, les couper en deux, les épépiner et les couper en fines lamelles de 2 mm d'épaisseur. Les mettre à cuire au four dans un plat avec le beurre à 200° C en les remuant de temps en temps.

Chemisage du moule :

Parer le pain de mie, enlever la croûte, le couper en tranches de 7 mm d'épaisseur. Détailler 6 triangles pour couvrir le fond du moule à charlotte, puis couper les tranches en deux légèrement en biais et les raccourcir pour avoir la même hauteur que le moule à charlotte. Réserver les chutes blanches qui seront passées au tamis ou au moulin à légumes muni de la grosse grille.

Tremper un côté des triangles de pain de mie dans le beurre fondu et les disposer au fond du moule à charlotte. Puis faire de même pour les parois en les faisant se chevaucher (côté beurré contre le fond et les parois).

Dès que les pommes sont cuites, ajouter la mie de pain passée au tamis, la cannelle et le sucre. Mélanger et garnir le moule à charlotte.

Mettre une entame de pain sur les pommes pour les protéger pendant la cuisson. Mettre à four chaud et faire cuire jusqu'à ce que les croûtons soient dorés sur toute leur hauteur.

Réduire éventuellement un peu la hauteur des croûtons avec une paire de ciseaux sans désarticuler les croûtons. Renverser le moule sur le plat de service avec les précautions d'usage.

Laisser le moule dessus pour permettre à la charlotte de se tasser sans se déformer pendant 10 minutes. Enlever le moule, lustrer le dessus de nappage bouillant. Accompagner de sauce à l'abricot.

Tailler le pain de mie.

Tremper un côté dans le beurre.

Les disposer au fond puis contre les parois du moule.

Remplir avec les pommes. Egaliser les bords.

6 pers.	XX OO
Prép. : 1 h.	
Cuisson : 10 mn.	
Repos : 2 h. au frais.	

Charlotte aux pommes froide

La préparation et les ingrédients sont les mêmes que pour une charlotte aux poires. Les poires seront remplacées par des petits quartiers de pomme sautés au beurre, sucrés à mi-cuisson et caramélisés à feu vif.

Les laisser refroidir avant de les mettre dans la charlotte.

6 pers.	XX OO
Prép. : 1 h.	
Cuisson : 10 mn.	
Repos : 2 h. au frais.	

Charlotte aux poires

40 biscuits à la cuiller.

Bavarois :
2,5 dl. de lait
3 jaunes d'œufs
75 g. de sucre
4 feuilles de gélatine
2,5 dl. de crème fouettée
2 cl. de kirsch.

Garniture :
1 boîte de poires au sirop 4/4.

Punch :
1,5 dl. de jus de poire
1 cl. de kirsch.

Décor :
50 g. de nappage blond
4 bigarreaux
10 angéliques.

Préparer le bavarois (voir p. 46).

Préparer les biscuits à la cuiller en les imbibant de punch.

Garnir le fond du moule de papier. Couler une petite couche de bavarois. Disposer les biscuits autour du moule.

Disposer quelques dés de poire, remettre un peu de bavarois, disposer une couche de biscuits imbibés, puis du bavarois, des dés de poire, du bavarois et terminer par des biscuits imbibés. Laisser prendre 2 heures au réfrigérateur.

Après refroidissement, démouler, retirer le papier, garnir avec des poires émincées, lustrer avec le nappage. Décorer avec les fruits confits.

6 pers.	XXX ∞
Prép. : 1 h.	
Cuisson : 12 mn.	
Repos : 2 h. au frais.	

Charlotte royale

1 plaque de biscuit roulade
100 g. de gelée de groseille.

Bavarois :
2,5 dl. de lait
3 jaunes d'œufs
75 g. de sucre
4 feuilles de gélatine
2,5 dl. de crème fouettée
2 cl. de kirsch.

Décoration :
50 g. de nappage blond
4 bigarreaux confits
10 g. d'angélique confite.

Préparer le bavarois (p. 46).

Dès la sortie du four, retirer le biscuit de la plaque. Etaler rapidement la gelée de groseille. Faire 2 petits rouleaux.

Mettre un disque de papier sulfurisé au fond d'un moule à charlotte. Garnir le fond de tranches de roulade de 0,5 cm d'épaisseur puis le tour.

Remplir de bavarois et disposer les tranches de roulade restantes sur le dessus. Elles feront office de fond. Mettre au frais au moins 2 heures. Démouler, lustrer avec le nappage et décorer.

6 pers.	XXX ∞
Prép. : 1 h.	
Cuisson : 12 mn.	
Repos : 2 h. au frais.	

Charlotte ardéchoise

1 plaque de biscuit roulade
100 g. de crème de marrons.

Bavarois à la crème de marrons :
1,5 dl. de lait
2 jaunes d'œufs
30 g. de sucre
4 feuilles de gélatine
200 g. de crème de marrons
2,5 dl. de crème fouettée.

Décor :
Débris de marrons glacés
5 cl. de chantilly.

Etaler la crème de marrons sur le biscuit.

Faire deux petits rouleaux. Réserver.

Préparer la crème anglaise (p. 44). Ajouter la gélatine. Après refroidissement presque complet, incorporer la crème de marrons et la crème fouettée.

Mouler comme une charlotte royale.

Laisser refroidir. Démouler, décorer de chantilly et de débris de marrons glacés.

8 pers. ✕✕ ⊙⊙
Prép. : 40 mn.
Cuisson : 10 mn.
Repos : 2 h. au frais.

Bavarois diplomate

Crème bavaroise :
3 dl. de lait
3 jaunes d'œufs
90 g. de sucre
4 feuilles de gélatine (8 g.)
3 dl. de crème fouettée
2 cl. de kirsch.

Garniture :
100 g. de biscuit ou de morceaux
de génoise
250 g. de salpicon de fruits frais
5 cl. de sirop lourd
1 cl. de kirsch.

Préparer la crème bavaroise (p. 46). Garnir le fond d'un moule de 22 cm de diamètre d'un papier sulfurisé. Verser une couche de bavarois, ajouter des dés de biscuit imbibés, puis des morceaux de fruits. Garnir d'une seconde couche de bavarois, puis une deuxième couche de biscuit et de fruits. Recouvrir de bavarois. Mettre au frais pendant 2 heures.

Démouler sur un plat de service. On peut le décorer de chantilly, de fruits et entourer la base d'un coulis de fruit (p. 50).

6 pers. ✕✕ ○
Prép. : 30 mn.
Cuisson : 1 h. à 170° C.

Pudding diplomate

Appareil à flan :
1/2 l. de lait
3 œufs
100 g. de sucre
Vanille.

Garniture :
100 g. de biscuit, de génoise ou de
brioche
40 g. de fruits confits hachés,
macérés avec 1 cl. de kirsch.

Décor de fruits tendres ou
pochés.
Sabayon (p. 70)
Crème anglaise (p. 44) ou
coulis de fruit (p. 50).

Faire un appareil à flan (voir préparation p. 95). Chemiser le fond d'un moule à charlotte de papier. Disposer quelques fruits confits et le tiers des morceaux de biscuit ou de génoise. Mettre 1/3 de l'appareil à flan. Faire coaguler sur le feu, au bain-marie.

Ajouter ensuite une deuxième couche de la même façon, puis une troisième que l'on fait coaguler au four en protégeant la surface d'un papier aluminium. S'assurer que l'ensemble est bien cuit et mettre à refroidir dans un bain-marie d'eau froide.

Après complet refroidissement, démouler en passant une lame de couteau contre la paroi du moule et opérer comme pour une crème renversée.

Décorer de quelques fruits tendres ou pochés et entourer la base soit d'un sabayon, d'une crème anglaise ou d'un coulis de fruit.

6 pers.
Prép. : 10 mn.
Cuisson : 20 mn. à 180° C.

Marquise au chocolat

250 g. de sucre
250 g. de beurre
250 g. de chocolat
4 œufs
90 g. de fécule
Crème anglaise (p. 44).

Travailler au bain-marie le chocolat, le beurre, le sucre et les jaunes d'œufs. Retirer du bain-marie, ajouter la fécule et les blancs montés en neige.

Cuire dans un moule à charlotte beurré et fariné au bain-marie à four moyen. Laisser refroidir. Démouler, entourer de crème anglaise.

Custard pudding

6 pers. ✗ ◯◯
Prép. : 15 mn.
Cuisson : 40 mn. à 180° C.

Appareil à flan :
1/2 l. de lait
3 œufs
100 g. de sucre
Vanille.

Garniture :
1 boîte 1/4 de poires au sirop
1 boîte 1/4 de pêches ou
d'abricots au sirop
1 boîte 1/4 de bigarreaux
1/2 banane.

Egoutter les fruits.

Beurrer un plat à gratin, y disposer les poires, les pêches et la banane émincées, quelques bigarreaux, le tout sur une épaisseur d'environ 3 cm. Verser l'appareil à flan préparé comme pour une crème renversée (p. 95). Cuire au bain-marie jusqu'à coagulation de la crème.

Se sert dans le plat de cuisson.

Bread and butter pudding

6 pers. ✗ ◯
Prép. : 15 mn.
Cuisson : 40 mn. à 180° C.

Appareil à flan :
1/2 l. de lait
3 œufs
100 g. de sucre
Vanille.

Garniture :
50 g. de beurre
50 g. de raisins secs gonflés dans
du thé
6 tranches de pain de mie.

Préparer l'appareil à flan (voir p. 95).

Beurrer un plat à gratin de préférence rectangulaire. Disposer la moitié des raisins. Parer les tranches de pain de mie, les couper en deux. Tremper une face dans le beurre fondu et les poser dans le plat en les faisant se chevaucher, la face beurrée dessus.

Répartir dessus à la louche l'appareil à flan qui fera monter en surface les tranches de pain de mie. Répartir le reste des raisins. Faire cuire à four moyen au bain-marie.

Arrêter la cuisson dès que la crème est coagulée et le pain de mie légèrement doré. Si besoin est, protéger la surface avec un papier aluminium.

Se sert froid, dans le plat de cuisson.

6 pers.	✗✗ O
Prép. : 30 mn.	
Cuisson : 50 mn. à 180° C.	

Biscuit aux pommes

Biscuit :
3 jaunes d'œufs
90 g. de sucre
90 g. de farine
3 blancs d'œufs.

Garniture :
400 g. de pommes golden tendres.

Finition :
200 g. de pommes
30 g. de beurre
50 g. de sucre.

Faire un biscuit (p. 32). Beurrer et fariner un plat à gratin (Ø 22 cm). Verser une couche de biscuit (1/3), une couche de pommes coupées en tranches fines, puis une deuxième couche de biscuit, une seconde couche de pommes en terminant par une couche de biscuit.

Après cuisson, décorer avec des petits quartiers de pomme sautés au beurre et légèrement caramélisés.

Servir dans le plat de cuisson.

6 pers.	✕✕ ○
Prép. : 20 mn.	
Cuisson : 3 mn.	

Croquettes de semoule estivales

6 dl. de lait
120 g. de semoule
75 g. de sucre
Vanille
2 œufs
250 g. de salpicon de fruits frais.

Même préparation que la semoule aux raisins (p. 123). Ajouter après cuisson le salpicon de fruits frais en tout petits cubes et 2 œufs.

Etaler le tout sur une plaque beurrée sur une épaisseur de 2 cm. Détailler des rectangles de 4 cm x 6 cm. Paner à l'anglaise (œufs + huile + eau). Traiter à grande friture (170° C).

Peut s'accompagner d'un coulis de fruit (p. 50).

6 pers.	✕✕ ○
Prép. : 25 mn.	
Cuisson : 30 mn.	

Croquettes de riz fructidor

Base :
100 g. de riz rond
1/2 l. de lait
Vanille
1 pincée de sel.

Liaison :
2 jaunes d'œufs
75 g. de sucre.

Garniture :
50 g. de fruits confits hachés fin.

Même préparation pour le riz que pour les fruits Condé. Ajouter les fruits confits. Refroidir dans un plat sur 3 cm d'épaisseur. Découper des bandes de 5 cm de large puis des bâtonnets de 3 cm. S'aider d'un peu de farine pour former des rouleaux cylindriques comme des pommes croquettes. Les passer dans l'anglaise (œufs + huile + eau), puis dans la chapelure. Les faire dorer dans la friture très chaude (180° C).

6 pers.
Prép. : 25 mn.
Cuisson : 30 mn.

✗○

Fruits Condé

Base :
100 g. de riz rond
1/2 l. de lait
1/4 de bâton de vanille
1 pincée de sel.

Liaison :
2 jaunes d'œufs
75 g. de sucre.

Garniture :
6 demi-poires pochées ou 6
demi-pêches pochées
12 oreillons d'abricots au sirop.

Finition :
150 g. de nappage blond
1 cl. de kirsch.

Décoration :
3 bigarreaux confits
10 g. d'angélique ou 1 kiwi.

Mettre le riz dans une casserole avec 3/4 l. d'eau froide. Porter et maintenir à ébullition 3 minutes. Rincer à l'eau chaude, égoutter. Le mettre dans un plat allant au four avec le lait, un petit morceau de gousse de vanille (ou du sucre vanillé) et une pincée de sel.

Porter à ébullition puis enfourner 15 à 20 minutes avec couvercle mais non hermétiquement fermé. Au bout de 15 minutes, s'assurer que les grains de riz sont cuits. Il doit rester très peu de lait. Retirer du four. Mélanger le sucre et les jaunes d'œufs dans un bol. Ajouter peu à peu le riz bouillant (pour éviter de coaguler les jaunes d'œufs). Reverser le mélange dans le récipient en remuant comme pour une crème anglaise sur un feu doux pour cuire les jaunes d'œufs. Le temps de cuisson est variable. Le riz doit rester moelleux, mais ne doit pas s'écrouler quand on met les fruits dessus. Il arrive parfois de rajouter un peu de lait. Mouler dans un moule à génoise mouillé ou des ramequins individuels. Laisser refroidir.

Démouler sur un plat ou dans une assiette, garnir le dessus avec les fruits. Les lustrer avec le nappage bouillant. Diluer le reste de nappage avec le sirop de cuisson des fruits et le kirsch pour obtenir un coulis et en entourer la base des fruits Condé.

6 pers.
Prép. : 40 mn.
Cuisson : 20 mn.
Repos : 3 h. au frais.

XX ∞

Riz à l'impératrice

Base :
100 g. de riz rond
25 cl. de lait
1 pincée de sel.

Gelée de fruits :
50 g. de gelée de groseille
50 g. d'eau
1 feuille de gélatine (2 g.).

Bavarois :
2 dl. de lait
2 jaunes d'œufs
50 g. de sucre
4 g. de gélatine
10 cl. de crème.

Garniture :
30 g. de fruits confits hachés fin
2 cl. de kirsch.

Coulis de fruit (p. 50) ou crème
anglaise (p. 44).

Préparer le riz de la même façon que pour les fruits Condé (p. 121).

Laisser refroidir. Faire une gelée de fruit. En garnir le moule et réserver au froid.

Faire un bavarois (p. 46).

Arroser les fruits confits avec le kirsch.

Dès que le riz est refroidi et que le bavarois commence à prendre, mélanger le tout avec les fruits confits.

Mettre dans le moule et au réfrigérateur pendant au moins 3 heures.

Pour démouler, tremper quelques secondes le moule dans l'eau à 50°. Passer une lame de couteau en suivant la paroi du moule. Poser un plat renversé sur le moule et retourner l'ensemble. En secouant, le gâteau doit se détacher.

On peut entourer la base de crème anglaise ou d'un coulis de fruit.

6 pers.	✗○
Prép. : 20 mn.	
Cuisson : 3 à 4 mn.	

Semoule aux raisins et aux fruits

Base :
6 dl. de lait
90 g. de semoule moyenne
75 g. de sucre
Vanille
1 1/2 œuf
40 g. de raisins secs.

Décoration :
1 poire pochée
1 banane
1 mangue
6 bigarreaux
100 g. de nappage blond ou de coulis.

Mettre le lait à bouillir. Mélanger la semoule et le sucre. A ébullition, verser le mélange en pluie dans le lait tout en remuant avec un fouet. Maintenir la cuisson à feu moyen pendant 2 minutes. Vérifier la cuisson de la semoule. Mélanger les œufs avec un peu de semoule dans un bol. Ajouter peu à peu le reste de semoule pour éviter de coaguler les œufs trop rapidement.

Remettre le tout dans la casserole et cuire une minute en remuant. Ajouter les raisins. Mouler dans un moule à génoise ou dans un plat à gratin huilé ou beurré. Laisser refroidir.

Démouler sur plat de service, disposer harmonieusement les fruits coupés en fines tranches ou en quartiers. Lustrer avec le nappage bouillant. Détendre un peu de nappage avec du jus de cuisson des fruits. En entourer la base du gâteau de semoule.

BEIGNETS, CREPES GAUFRES

LES BEIGNETS

6 pers. ✗○
Prép. : 20 mn.
Cuisson : 5 mn.

Beignets de pommes, poires, abricots, ananas, bananes...

300 g. de pâte à frire (p. 37)
800 g. de pommes
80 g. de sucre
1 cl. de calvados.

Préparer la pâte à frire.

Eplucher les pommes, les évider, découper des rondelles de 8 à 10 mm d'épaisseur. Disposer les rondelles dans un plat, les saupoudrer avec le sucre et les arroser avec le calvados.

Tremper dans la pâte à frire et cuire à grande friture (170° C). Colorer les deux faces, s'assurer de la cuisson des fruits, égoutter, saupoudrer de sucre glace et glacer au four. Peut s'accompagner de sauce abricot tiède (p. 50). Se fait avec tous les fruits : poires en quartiers, bananes en forme de bouchon, etc.

6 pers. ✗✗✗○
Prép. : 20 mn.
Cuisson : 10 mn. à 140° C.

Boules de Berlin

Pâte à brioche :
250 g. de farine
5 g. de sel
15 g. de sucre
2 1/2 œufs
10 g. de levure de bière
3 cl. d'eau tiède
125 g. de beurre.

120 g. de confiture d'abricots
30 g. de sucre glace.

Faire la pâte à brioche (voir p. 34).

Détailler 12 morceaux d'égale grosseur et les rouler en boule. Les déposer sur un torchon fariné pour les faire lever dans une étuve ou un endroit tempéré à l'abri des courants d'air (ils doivent tripler de volume).

Les mettre délicatement dans la friture. Colorer les deux faces. Les égoutter sur du papier absorbant.

Les fourrer avec la confiture en faisant un trou sur le côté entre les deux faces, puis les saupoudrer de sucre glace.

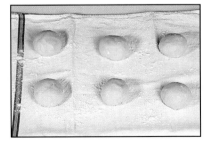

Déposer les boules de pâte sur un torchon fariné et les laisser lever.

Les fourrer à la confiture après cuisson.

6 pers.   ✗✗ ○
Prép. : 20 mn.
Repos : 2 h.
Cuisson : 5 mn. à 180° C.

Bûgnes

250 g. de farine
40 g. de beurre
20 g. de sucre
1 cl. de cognac
4 œufs
1 pincée de sel
50 g. de sucre glace (finition).

Pétrir tous les éléments. Fraiser, laisser reposer 2 heures.

Etaler sur une épaisseur de 2 mm. Découper, avec une roulette à rioler ou un couteau, des losanges, rectangles ou triangles et les cuire dans une friture à 180° C. Les tourner à l'aide d'une écumoire dès qu'ils auront coloré sur une face pour les cuire de l'autre côté. Les égoutter.

Laisser refroidir et saupoudrer de sucre glace.

6 pers. XX O
Prép. : 20 mn.
Cuisson : 5 mn. à 160° C.

Pets de nonne
(beignets soufflés)

Pâte à choux :
12,5 cl. d'eau
2 g. de sel
4 g. de sucre
50 g. de beurre
80 g. de farine
2 à 2 1/2 œufs.

*Crème anglaise (p. 44) ou
coulis de fruit (p. 50).*

Faire une pâte à choux normale (p. 35). La détailler en petites boules et les cuire à la friture à 160° C, comme de petites pommes dauphines. Eviter de trop garnir le bain de friture, car elles gonflent beaucoup. Egoutter sur un papier absorbant. Laisser tiédir et saupoudrer de sucre glace. Les servir en buisson, accompagnées d'une sauce anglaise ou d'un coulis tiède.

6 pers. XX O
Prép. : 20 mn.
Cuisson : 5 mn. à 160° C.

Casse-museaux tourangeaux

Pâte à choux :
12,5 cl. d'eau
2 g. de sel
4 g. de sucre
50 g. de beurre
80 g. de farine
2 à 2 1/2 œufs.

Crème pâtissière :
1/4 l. de lait
1 œuf
60 g. de sucre
15 g. de farine
15 g. de maïzena
Vanille.

Préparer les beignets comme les pets de nonne.
Les fourrer comme des choux avec la crème pâtissière tiède. Saupoudrer de sucre glace. Dresser en buisson, accompagnés d'un coulis de griotte (p. 50) ou d'une crème anglaise (p. 44).

6 pers.	✕✕ ◯◯
Prép. : 40 mn.	
Repos : 2 h. 30 mn.	
Cuisson : 10 mn. à 170° C.	

Tourtons aux pruneaux

Pâte :
300 g. de farine
3 œufs
50 g. de beurre
7,5 cl. d'eau
3 g. de sel.

Garniture pruneaux :
400 g. de pruneaux
100 g. de sucre
10 cl. de vin rouge.

50 g. de sucre glace.

Mettre la farine en puits. Ajouter les œufs, le sel, le beurre ramolli au centre. Verser l'eau, mélanger. Bien travailler la pâte. Laisser reposer 1/2 h.

Faire tremper les pruneaux dans le vin et un peu d'eau, s'ils sont très secs, pendant 1 ou 2 heures. Cuire les pruneaux dans l'eau et le vin de trempage. Laisser refroidir, puis dénoyauter les pruneaux. Les mixer et ajouter 100 g. de sucre.

Confection des tourtons :

Etaler finement la pâte en forme de carré ou de rectancle. Tracer, sans couper la pâte, des carrés de 7 cm x 7 cm sur la moitié de la pâte. Répartir en petits tas la marmelade de pruneaux à l'aide d'une poche à douille ou d'une cuillère à café. Mouiller avec de l'eau les marques faites pour séparer les carrés. Enrouler la pâte sur le rouleau et la dérouler sur les carrés garnis. Appuyer pour souder les deux parties formant le tourton. Séparer chaque tourton en coupant la pâte avec la roulette à rioler ou avec un couteau.

Les tourtons se cuisent dans la friture à 170°/180° C. Laisser dorer les deux faces, retirer du bain de friture et mettre sur papier absorbant. Après refroidissement, saupoudrer de sucre glace. Dresser sur plat en buisson.

On peut varier la garniture qui doit cependant être assez sèche par des compotes :
compote de pommes,
compote de poires,
compote d'abricots,
compote de framboises,
compote de fraises.

LES CREPES

6 pers.	✕✕ ◯◯
Prép. : 40 mn.	
Cuisson : 30 mn.	

Crêpes normandes en aumônière

Pâte à crêpes (crêpes de ∅ 22 cm) :
250 g. de farine
3 g. de sel
20 g. de sucre
5 œufs
75 cl. de lait
25 g. de beurre
25 cl. d'huile.

Garniture :
3 cl. d'eau
600 g. de pommes
30 g. de beurre
2 cl. de calvados
30 g. de raisins secs
100 g. de nougatine
20 g. de sucre.

Collerette (épaisseur 1 cm) :
400 g. de pommes
50 g. de sucre.

ou lacet :
1 citron.

Coulis d'abricot (p. 50).

Préparer et cuire les crêpes (voir p. 36). Les faire assez fines.

Préparer la garniture. Eplucher et épépiner les pommes, les couper en deux puis en petits cubes de 5 mm. Ajouter le beurre, l'eau et faire cuire à couvert. Quelques minutes suffisent. Remuer.

Ajouter le calvados, flamber, puis ajouter les raisins secs, la nougatine concassée et le sucre.

Préparer le lacet. Prendre un gros citron bien frais et découper un lacet à l'aide d'un canneleur. Avec un citron, on arrive à avoir un lacet d'environ 2 m. Le blanchir avec 3/4 de litre d'eau. Rafraîchir. Recommencer deux fois pour enlever l'amertume du citron. Puis le faire cuire dans un sirop léger (50 g. de sucre et 1 dl. d'eau) 5 à 10 minutes à feu doux. On peut mettre quelques gouttes de grenadine pour colorer le citron.

Collerette de pomme : choisir deux belles pommes de 8 cm de diamètre, les éplucher, les couper en rondelles de 1 cm d'épaisseur. Enlever le centre à l'emporte-pièce. Mouiller avec un peu d'eau et quelques gouttes de jus de citron, ajouter 50 g. de sucre et porter à ébullition. Egoutter sur une assiette.

Garnir les crêpes, le côté le plus coloré à l'extérieur, d'une bonne cuillerée de garniture tiède, remonter le bord pour former une bourse. L'attacher avec le lacet de citron ou passer les bouts de la crêpe dans la colerette de pommes. Mettre les aumônières dans un plat beurré, les saupoudrer de sucre glace et les passer quelques secondes à four très chaud pour glacer et colorer légèrement le bout des crêpes.

Entourer ou servir à part un coulis d'abricot tiède.

6 pers.
Prép. : 20 mn.
Cuisson : 30 mn.

XX ○

Crêpes fourrées

Pâte à crêpes :
250 g. de farine
3 g. de sel
20 g. de sucre
5 œufs
75 cl. de lait
25 g. de beurre
25 cl. d'huile
800 g. de crème pâtissière
(p. 49).

Garniture :
1/2 ananas.

Sauce abricot :
100 g. de nappage blond
15 cl. de jus d'abricot.

Préparer les crêpes (voir p. 36). Les garder tièdes en les couvrant de papier aluminium.

Hacher l'ananas en petits dés, l'incorporer à la crème pâtissière avec le kirsch.

Poser les crêpes à plat, les garnir sur la moitié avec une cuillerée de crème à l'ananas. Les plier en quatre pour obtenir des quartiers de crêpes. Les disposer sur un plat beurré allant au four. Saupoudrer de sucre glace, passer au four à 220° C, 4 à 5 minutes environ pour réchauffer et glacer légèrement. Ne pas laisser dessécher. Servir avec une sauce abricot tiède en saucière.

6 pers.
Prép. : 20 mn.
Cuisson : 40 mn.

XXX ○○

Crêpes soufflées au miel et aux noisettes

Pâte à crêpes :
250 g. de farine
3 g. de sel
20 g. de sucre
5 œufs
75 cl. de lait
25 g. de beurre
25 cl. d'huile.

Appareil à soufflé :
3 blancs d'œufs
75 g. de sucre
75 g. de miel.

75 g. de noisettes grillées et
concassées
3 dl. de coulis d'abricot (p. 50)
5 cl. de jus d'orange.

Préparer les crêpes (voir p. 36).

Les garnir sur une moitié avec l'appareil à soufflé (préparé comme une meringue italienne, p. 38), parsemer de noisettes. Replier les crêpes, les disposer sur un plat beurré et les mettre au four 5 minutes à 200° C.

Au moment de servir, arroser de cognac et flamber devant les convives.

Servir à part un léger coulis d'abricot détendu avec le jus d'orange tiède.

LES GAUFRES

6 pers.   ✗ ○ Prép. : 5 mn. Cuisson : 4 à 5 mn.

Gaufres

250 g. de farine
15 g. de sucre
3 œufs
1/2 l. de lait
100 g. de beurre fondu.

Mettre tous les ingrédients dans un saladier sauf le beurre. Travailler au fouet pour obtenir une pâte lisse comme une pâte à crêpes. Eventuellement, la passer au chinois. Ajouter le beurre fondu. Cuire dans un gaufrier chaud et bien graissé. Saupoudrer de sucre glace.

6 pers.   ✗ ○ Prép. : 10 mn. Cuisson : 4 à 5 mn.

Gaufres lyonnaises

250 g. de farine
2 g. de sel fin
30 g. de sucre
5 g. de levure de bière
1/2 l. de lait ou d'eau
120 g. de beurre
6 œufs.

Mélanger la farine, le sel, le sucre, la levure délayée dans un peu d'eau, le lait, le beurre fondu et 4 jaunes d'œufs. Bien mélanger.

Incorporer délicatement les blancs montés en neige.

Cuire dans un gaufrier chaud et bien graissé.

VARIANTES
Les gaufres peuvent être garnies de crème Chantilly, de crème de marrons. *On peut également ajouter 100 g. d'amandes ou de noisettes broyées à la pâte.*

6 pers.	✕ ∞
Prép. : 5 mn.	
Cuisson : 5 mn.	

Gaufres Délice

250 g. de farine
1 g. de sel
1/2 l. de crème
100 g. de beurre
3 œufs.

Mélanger tous les ingrédients sauf le beurre. Lisser au fouet.

Ajouter le beurre fondu refroidi en dernier.

Cuire dans l'appareil à gaufre très chaud et bien graissé.

LES TARTES

6 pers. ✕ ○
Prép. : 20 mn.
Cuisson : 40 mn. à 200° C.

Flan gitan

300 g. de pâte brisée (p. 28).

Garniture :
4 demi-poires pochées
3 tranches d'ananas pochées
4 demi-pêches pochées
1 banane
20 bigarreaux pochés
7 dl. d'appareil à flan (p. 114).

Foncer un moule avec la pâte. Garnir avec les fruits coupés en grosses tranches en panachant les couleurs, sans trop les serrer pour permettre de loger l'appareil à flan. Verser le flan.

Mettre à cuire au four. La cuisson est terminée lorsque la pâte est dorée et le flan pris.

On peut ensuite le meringuer.

6 pers. ✕✕ ○○
Prép. : 20 mn.
Cuisson : 30 mn. à 180° C.

Linzer tarte

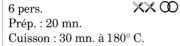

Pâte :
250 g. de farine
60 g. d'amandes en poudre
125 g. de sucre
2 g. de cannelle
1 g. de sel
2 g. de levure chimique
75 g. de beurre
1 œuf + 1 jaune.

Garniture :
200 g. de confiture de framboises avec pépins.

Dorure :
1/2 œuf.

Préparer la pâte comme une pâte sucrée (p. 29).

Abaisser la pâte (pas trop fine). Foncer un moule à tarte. Piquer, garnir le fond avec une bonne épaisseur de confiture de framboises. Mouiller le bord de la pâte. Croiser des bandes de pâte coupées avec la roulette à rioler ou à défaut avec un couteau. Les souder sur les bords.

Dorer la pâte et mettre en cuisson.

La cuisson est terminée quand la pâte est dorée aussi bien dessus que dessous.

6 pers.
Prép. : 45 mn.
Cuisson : 30 mn. à 180° C.

✕○

Tarte agenaise

400 g. de pâte brisée (p. 28)
400 g. de pruneaux
2 dl. de lait
2 dl. de crème
2 œufs + 1 jaune
50 g. de poudre d'amande
50 g. de sucre.

Foncer un cercle ou un moule à tarte avec la pâte. Piquer le fond et le garnir avec les pruneaux dénoyautés (s'ils sont durs, les faire cuire, départ à l'eau froide ou les laisser tremper 1 heure avant de les dénoyauter).

Verser le mélange lait, crème, sucre et œufs passé au chinois.

Répartir la poudre d'amande et mettre à cuire.

Saupoudrer de sucre glace après refroidissement.

| 6 pers.   ✗✗ ○ |
| Prép. : 20 mn. |
| Cuisson : 30 mn. à 200° C. |

Tarte à l'anglaise

300 g. de pâte feuilletée (p. 30)
1 œuf (dorure).

Garniture :
800 g. de pommes
80 g. de sucre
5 cl. d'eau.

Garnir un plat à gratin avec les pommes épluchées, épépinées et coupées en petits quartiers. Ajouter l'eau et le sucre. Recouvrir d'une fine abaisse de pâte feuilletée qui est posée sur une bandelette de pâte sur le bord du plat. Souder. Dorer la pâte et décorer avec des fleurons. Piquer avec une pointe de couteau en plusieurs endroits. Mettre à cuire. Servir tiède.

On peut l'accompagner de crème fouettée, de sauce anglaise (p. 44) ou de coulis (p. 50).

Recouvrir le bord d'une lanière de pâte feuilletée.

Poser l'abaisse.

Décorer, rayer. Piquer avec la pointe d'un couteau.

Tarte à l'orange

Pâte brisée (p. 28)
Appareil à flan (p. 114)
1 kg. d'oranges.

Préparer l'appareil à froid en mélangeant tous les éléments. Passer au chinois. Foncer un cercle ou un moule à tarte. Y verser l'appareil. Faire cuire.

Prélever la moitié du zeste des oranges. Le tailler en julienne. Le confire quelques instants dans du sirop.

Eplucher l'ensemble des oranges à vif, retirer les suprêmes. En garnir la tarte après refroidissement. Surmonter de julienne d'oranges.

141

6 pers. ✗✗✗ ◯
Prép. : 25 mn.
Cuisson : 40 mn. à 200° C.

Tarte au citron meringuée

Pâte brisée (p. 28).

Appareil au citron :
4 œufs
150 g. de sucre
60 g. de beurre fondu
2 cl. de crème
Zeste râpé et jus de 2 gros citrons.

Meringue :
2 blancs d'œufs
125 g. de sucre.

Foncer un cercle ou un moule à tarte.

Préparer l'appareil au citron : battre les œufs avec le sucre, ajouter le zeste de citron finement râpé, puis le jus des citrons, la crème, le beurre fondu.

Garnir la tarte (on pourrait également faire une cuisson à blanc de quelques minutes avant de garnir la pâte). Faire cuire jusqu'à coloration de la pâte et coagulation de l'appareil.

Retirer du four, démouler. Décorer avec la meringue. Colorer quelques minutes à four moyen.

6 pers. ✗✗ ◯◯
Prép. : 30 mn.
Cuisson : 25 mn. à 200° C.

Tarte aux fruits exotiques

300 g. de pâte brisée (p. 28).

Crème d'amandes :
100 g. de beurre
125 g. de sucre
125 g. d'amandes
1 œuf et 1 jaune
300 g. de crème pâtissière
(p. 49).

Garniture :
Oranges
Ananas
Mangues
Kiwis
Bananes.

Finition :
Nappage blond
30 g. d'amandes effilées.

Foncer un cercle ou un moule à tarte. Le garnir de crème d'amandes (p. 46) sur 1,5 cm d'épaisseur. Cuire sans dessécher.

Après refroidissement, garnir de crème pâtissière parfumée au rhum. Si la pâte d'amandes est un peu sèche, l'imbiber d'un peu de jus d'orange.

Garnir harmonieusement avec les fruits, les suprêmes d'orange, les tranches de mangue, les kiwis, l'ananas, les bananes. Lustrer le tout de nappage ainsi que la croûte. Faire adhérer sur le pourtour quelques amandes ou cacahuètes grillées.

6 pers.	✕✕ ⊙⊙
Prép. : 40 mn.	
Cuisson : 40 mn. à 200° C.	

Tarte Bourdaloue

400 g. de pâte brisée (p. 28).

Crème pâtissière :
2 dl. de lait
1 jaune d'œuf
50 g. de sucre
20 g. de maïzena.

Crème d'amandes :
75 g. de beurre
100 g. de sucre
100 g. de poudre d'amande
1 œuf.

1 boîte 4 / 4 de poires
20 g. d'amandes effilées.

Préparer la crème pâtissière (p. 49) et la crème d'amandes (p. 46). Les mélanger.

Foncer un cercle ou un moule à tarte de pâte brisée. Piquer le fond. Répartir une fine couche de crème pâtissière et de crème d'amandes, disposer les poires harmonieusement, les napper avec le reste du mélange. Disposer dessus quelques amandes effilées.

Faire cuire à four chaud 40 minutes.

6 pers.	✕✕ ○
Prép. : 30 mn. sans la pâte.	
Cuisson : 30 mn. à 220° C.	

Tarte feuilletée aux fruits

350 g. de pâte feuilletée (p. 30)
500 g. de crème pâtissière
(p. 49).

Garniture :
Fruits frais ou au sirop
suivant saison.

Finition :
50 g. de nappage blond.

Découper la pâte en une bande régulière de 18 cm x 40 cm de long. Prélever deux bandes de 1,5 cm pour faire les bordures. Mettre la bande sur la plaque humide. S'assurer qu'il n'y a pas de farine, piquer la pâte, mouiller les bords, mettre les bandelettes légèrement en retrait, appuyer et chiqueter en même temps pour souder. Dorer les bandelettes seulement. Laisser reposer 10 minutes. Cuire à four chaud 220° C. Terminer la cuisson à 180° C pour bien dessécher la pâte.

Après refroidissement, garnir avec la crème pâtissière. Disposer harmonieusement les fruits et les lustrer. Saupoudrer les bordures de sucre glace.

6 pers.
Prép. : 1 h. 10 mn.
Cuisson : 50 mn.

✗✗✗ ○

Tarte Tatin

300 g. de pâte brisée (p. 28)
1 kg. de pommes
200 g. de sucre
50 g. de beurre
1 / 2 citron
1 jaune d'œuf ou 5 cl. de lait.

Faire fondre le beurre dans une poêle à bord assez haut ou dans un moule à génoise. Ajouter le sucre, faire fondre, remuer avec une spatule.

Disposer les pommes en quartiers tête-bêche bien serrées en couronnes. Arroser du jus de citron.

Mettre au four, jusqu'aux 3/4 de la cuisson des pommes. Recouvrir avec la pâte brisée étalée. Dorer soit à l'œuf, soit au lait. Piquer la pâte avec une pointe de couteau pour permettre à la vapeur de sortir.

Remettre au four et cuire jusqu'à la presque totale évaporation du jus de cuisson des pommes et sa transformation en caramel. Vérifier avec une pointe de couteau passée sur le côté du moule. Protéger le dessus si besoin est avec un papier aluminium.

La cuisson terminée, mettre le moule sur feu moyen en le remuant d'un mouvement circulaire pour décoller le fond. Retirer du feu.

Renverser dessus un plat de bonne dimension. Retourner le tout en prenant garde de ne pas se brûler. Retirer le moule. Au cas où le caramel ne serait pas assez coloré, faire l'opération en sens inverse, repasser le moule sur le feu tout en remuant pour ne pas laisser attacher et recommencer l'opération de démoulage.

Servir tiède. On peut l'accompagner de crème anglaise (p. 44), d'un sabayon (p. 70), ou de crème fouettée pas trop serrée.

Déposer les pommes au fond de la poêle.

Arroser du jus du citron.

Recouvrir de l'abaisse de pâte.

LES GROS GATEAUX

8 pers. ✕✕ ∞
Prép. : 30 mn.
Cuisson : 50 mn. à 180° C.

Brioche aux fruits

500 g. de pâte à brioche (p. 34)
300 g. de crème pâtissière
(p. 49)
2 cl. de rhum
50 g. de fruits confits
50 g. de raisins secs
20 g. de sucre glace.

Etaler finement 150 g. de pâte à brioche. Foncer un moule à génoise de 22 cm de diamètre. Etaler le restant de la pâte en carré (25 cm x 25 cm).

Répartir les 5/6 de la crème pâtissière sur la pâte et le restant dans le fond du moule. Répartir les raisins et les fruits confits. Rouler en boudin, détailler en tranches de 2,5 cm et les poser dans le moule.

Laisser lever jusqu'au bord du moule. Dorer, cuire. A la sortie du four, arroser d'un peu de rhum et glacer (eau + sucre glace).

Peut s'accompagner de sauce anglaise (p. 44) ou de coulis (p. 50).

6 pers. ✕✕ ○
Prép. : 30 mn.
Cuisson : 40 mn. à 180° C.

Brioche mousseline

500 g. de pâte à brioche (p. 34).

Mouler dans un moule à cake beurré de 20 cm x 8 cm. Laisser lever jusqu'en haut du moule. Dorer, couper dans le sens de la longueur avec un ciseau en maintenant la pointe du ciseau enfoncée à 2 cm. Cuire à four moyen.

Servir après refroidissement avec une sauce anglaise (p. 44) ou un coulis de fruit (p. 50).

8 pers.	✗✗ ∞
Prép. : 45 mn.	
Cuisson : 15 mn. à 200° C.	

Tropézienne

350 g. de pâte à brioche (p. 34)
400 g. de crème pâtissière
(p. 49)
1 feuille de gélatine (2 g.)
12,5 cl. de crème fouettée
Sucre glace.

Punch :
5 cl. de sirop lourd
1 cl. de kirsch.

Préparer la crème pâtissière avec la gélatine (p. 49) et la crème fouettée (p. 47).

Etaler la pâte à brioche sur une épaisseur de 1,5 cm. En garnir le fond d'un moule à génoise de 22 cm de diamètre. Laisser lever (la pâte doit doubler de volume) avant de mettre au four.

Couper la brioche refroidie en deux dans le sens horizontal et la puncher.

Mélanger la crème pâtissière et la crème fouettée. Garnir la brioche. Reconstituer le gâteau et le saupoudrer de sucre glace. Garder au frais jusqu'au moment de servir.

6 pers.	✗✗✗ ○○
Prép. : 1 h.	
Cuisson : 7 à 8 mn. à 200° C.	

Bûche de Noël

Biscuit roulade (voir p. 32).

Punch :
1,5 dl. de sirop lourd
2 cl. de kirsch.

Crème au beurre :
4 jaunes d'œufs
150 g. de sucre
160 g. de beurre
1 cl. de kirsch.

Garniture :
30 g. de fruits confits hachés
finement.

Décoration :
20 g. d'amandes effilées et
grillées
20 g. de copeaux de chocolat
10 g. de fruits confits hachés
finement.

Etaler la pâte à biscuit sur papier légèrement beurré de 40 cm x 25 cm. Cuire à four chaud. Faire glisser au terme de la cuisson la plaque de biscuit sur une table de travail, pour hâter le refroidissement et que le biscuit reste assez souple pour être roulé.

Le décoller du papier. Le poser sur une feuille propre, l'imbiber avec le sirop parfumé et étaler le tiers de la crème dessus. Répartir les fruits confits, rouler le biscuit sur le côté le plus long pour obtenir un rouleau assez gros. Terminer en laissant le pli dessous, masquer toute la surface avec une bonne épaisseur de crème. Couper les deux bouts légèrement en biais, qui seront rapportés dessus pour faire les nœuds. Parfumer un tout petit peu de crème avec du chocolat ou du café pour masquer les bouts.

Rayer avec une fourchette. Colorer une noix de crème au beurre en vert. Dessiner le lierre et les feuilles au cornet.

Parsemer de quelques bouquets d'amandes grillées, de copeaux de chocolat, de fruits confits et éventuellement de champignons en meringue.

L'intérieur peut être garni de crème pâtissière ou de mousse aux fruits avec des dés de fruits frais.

Couper les 2 extrémités. Les placer sur la bûche.

Finir le décor.

Calendrier

Biscuit parfumé selon votre goût et décoré de pâte d'amandes (voir illustration).

6 pers.	XXX O
Prép. : 1 h.	
Cuisson : 30 mn. à 220° C	

Croquembouche

300 g. de pâte à choux (p. 35)
600 g. de crème pâtissière
(p. 49)
Un caramel avec 300 g. de sucre.

Préparer des choux un peu plus gros que pour des profiterolles (4 par personne), ainsi que des S et des arabesques pour le décor.

Fourrer les choux en les perçant par le fond. Cuire un caramel blond doré. Mettre un papier huilé dans un chinois, lequel sera tenu en équilibre dans un récipient. Poser un chou au fond du chinois. Coller 2 ou 3 autres choux qui formeront la première rangée. A chaque fois, le rang doit être complet. Continuer par le deuxième rang en trempant le bord du chou en deux endroits pour pouvoir le coller à celui du dessous et à celui d'à côté.

Le dernier rang terminé, verser un peu de caramel bouillant pour parfaire le collage. Laisser refroidir. Renverser le chinois. Enlever le papier. Décorer avec les S et les arabesques. Prévoir quelques choux en plus.

On peut disposer de part et d'autre des fruits glacés au caramel.

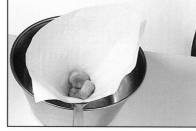

1. Coller les premiers choux.

2. Terminer la dernière rangée et verser un peu de caramel bouillant.

3. Décorer avec les S

4. et quelques fruits glacés au caramel.

6 pers. ✕ ○
Prép. : 15 mn.
Cuisson : 20 mn. à 180° C.

Far breton

70 g. de farine
70 g. de sucre
2 œufs
3 dl. de lait
250 g. de pruneaux
1/4 de paquet de levure
chimique.

Travailler la farine, le sucre, les œufs et la levure pendant 10 minutes au fouet. Ajouter peu à peu le lait bouillant. Verser dans un moule beurré et fariné. Répartir les pruneaux dénoyautés et mettre à cuire.

La hauteur de la pâte ne doit pas dépasser la hauteur de la rangée de pruneaux. Laisser refroidir dans le moule. Glisser une spatule pour démouler.

6 pers. ✕✕✕ ○○○
Prép. : 1 h. 30 mn.
Cuisson : 1 h.

Délice au Cointreau

Génoise (p. 40) :
3 œufs
90 g. de sucre
90 g. de farine
30 g. de beurre.

1 fond de succès (p. 39) :
2 blancs d'œufs
90 g. de sucre
30 g. de poudre d'amande.

Crème au beurre (p. 45) :
1 œuf + 1 jaune
125 g. de sucre
160 g. de beurre
1 cl. de Cointreau.

Punch :
7,5 cl. de sirop lourd
7,5 cl. de jus d'orange
1 cl. de Cointreau.

Finition :
30 g. d'amandes grillées
Suprêmes de 2 oranges
Julienne d'oranges confite
7 bigarreaux au sirop.

Préparer le fond de succès et la crème au beurre.

Préparer la génoise :

La couper en 2 dans le sens horizontal. L'imbiber avec le punch. Prévoir un papier ou un carton de dimension légèrement inférieure du fond du gâteau pour le déplacer aisément et éviter qu'il adhère à la table de travail.

Garnir d'une fine couche de crème au beurre (1/3 environ), et poser le disque de succès de même dimension. Garnir de nouveau avec la crème et reconstituer le gâteau. Masquer le dessus et les côtés de crème, entourer le pourtour d'amandes grillées. Décorer le dessus avec des suprêmes d'orange surmontés de julienne d'oranges confite et de quelques bigarreaux au sirop.

Julienne d'oranges confite :

Prélever le zeste des oranges à l'aide d'un couteau économe, le couper finement en julienne. Faire blanchir à grande eau, rafraîchir pour enlever l'amertume.

Mettre à cuire largement mouillé avec une pincée de sel.

Dès que les zestes sont cuits (tendres), les rafraîchir à nouveau, les égoutter, les mettre à cuire avec 100 g. de sucre, 100 g. d'eau et quelques gouttes de jus de citron. Laisser réduire un peu, cela doit devenir sirupeux. Laisser refroidir. Au besoin, détendre avec un peu de Cointreau. Répartir sur les suprêmes.

Se conserve plusieurs jours au frais. Peut également s'utiliser sur des glaces ou des parfaits.

Délice feuilleté aux poires ou aux fraises

8 pers. ✕✕✕ ⚭⚭⚭
Prép. : 1 h. 30 mn.
Cuisson : 40 mn.
Repos : 2 h.

350 g. de pâte feuilletée (p. 30).

Biscuit aux amandes :
2 jaunes d'œufs
50 g. de sucre
25 g. de farine
25 g. de poudre d'amande
2 blancs d'œufs.

600 g. de crème bavaroise
(p. 46) parfumée avec 1 cl. de
liqueur.

Garniture :
1 kg. de poires ou
600 g. de fraises.

Punch :
1 dl. de sirop lourd
2 cl. d'alcool.

Finition :
Sucre glace.
Coulis de fraise (p. 50).

Etaler la pâte feuilletée. Couper 2 bandes de 12 ou 13 cm de largeur et de 40 cm de longueur. Les piquer. Les faire cuire.

Préparer le biscuit aux amandes comme le biscuit roulade (p. 32) en remplaçant la fécule par les amandes.

Etaler le biscuit en une seule bande de 40 cm x 13 cm. Retailler après cuisson.

Se munir d'un moule ou d'un cadre avec fond amovible de 5 cm de hauteur, de 35 cm de longueur et de 12 cm de largeur. Le chemiser de papier. Le garnir avec la moitié de la crème bavaroise, répartir des dés de poires ou de fraises. Poser le biscuit aux amandes, l'imbiber de punch, garnir avec le reste de la crème bavaroise ainsi que des dés de fruits. Couvrir d'un papier et réserver au réfrigérateur 2 heures.

Une demi-heure avant de servir, disposer l'ensemble au bavarois avec précaution entre les deux morceaux de pâte feuilletée.

Saupoudrer de sucre glace, marquer au fer rouge. L'accompagner d'un coulis de fraise.

On peut le mouler en rond, dans un moule à génoise. Le montage s'effectue de la même façon.

6 pers.	✗✗ ◯◯
Prép. : 45 mn.	

Brie-génoise

1 génoise (p. 40)
300 g. de crème au beurre
(p. 45).

Finition :
30 g. d'amandes
grillées en poudre
10 g. de sucre glace.

Punch :
1 dl. de sirop lourd
2 cl. de kirsch.

Même façon de garnir le gâteau que pour le moka (p. 168). Seuls le parfum et la finition changent.

8 pers.	✗✗ ◯◯◯
Prép. : 45 mn.	
Cuisson : 25 mn. à 170° C.	

Forêt-Noire

Génoise au chocolat :
3 œufs
90 g. de sucre
80 g. de farine
20 g. de cacao.

Chantilly :
25 cl. de crème fleurette
30 g. de sucre
Quelques gouttes d'extrait de
vanille.

Pour fourrer :
100 g. de sirop lourd (p. 22)
parfumé avec 2 cl. de kirsch
200 g. de bigarreaux dénoyautés
au sirop
50 g. de gelée de groseille.

Pour la décoration :
100 g. de bon chocolat ou de
couverture transformé en
copeaux.

Préparer la génoise (voir p. 40), la chantilly (p. 47) et les bigarreaux.

Couper la génoise en trois dans la hauteur.

Imbiber le premier disque de base. Répartir la gelée de groseille et les bigarreaux en ayant soin d'en réserver 7 pièces pour le décor.

Garnir avec un peu de chantilly. Egaliser.

Poser le deuxième disque, l'imbiber, garnir d'un bon centimètre de crème Chantilly, recouvrir avec le dernier disque qui aura été imbibé côté mie. Appuyer avec la main pour mettre à niveau.

Masquer grassement le dessus et le pourtour du gâteau avec de la crème Chantilly, décorer de 6 rosaces de chantilly plus une au centre qui seront surmontées des bigarreaux réservés.

Recouvrir le dessus et le tour de copeaux de chocolat.

Garder au frais.

Gâteau ambassadeur

6 pers. ✕✕✕ ⊙⊙
Prép. : 50 mn.
Cuisson : 25 mn. à 170° C.

---

1 génoise (p. 40)
350 g. de crème pâtissière
(p. 49)
50 g. de crème au beurre (p. 45).

Punch :
1 dl. de sirop lourd
2 cl. de kirsch.

Finition :
100 g. de pâte d'amandes
5 bigarreaux confits
10 g. d'angélique
10 g. de chocolat
30 g. de fruits confits hachés fin.

Préparer la génoise, la crème pâtissière, la crème au beurre et le sirop.

Couper la génoise en deux, l'imbiber, la garnir avec la crème pâtissière parfumée, répartir les fruits confits hachés.

Reconstituer le gâteau et le masquer avec la crème au beurre. Mettre au frais quelques instants, puis le recouvrir d'une fine couche de pâte d'amandes étalée avec du sucre glace.

Décorer avec les bigarreaux confits et l'angélique.

Faire quelques dessins au cornet.

6 pers. ✗✗ ⚭
Prép. : 40 mn.
Cuisson : 50 mn. à 200° C.

Gâteau farandole

300 g. de pâte à choux (p. 35).

Garniture :
*200 g. de crème pâtissière (p. 49)
+ 1 feuille de gélatine
200 g. de crème au beurre
(p. 45)
200 g. de crème fouettée
Vanille.*

Garniture :
*30 g. de fruits confits hachés très
fin.*

Finition :
10 g. de sucre glace.

Presser la pâte à choux en couronne comme pour un Paris-Brest. La faire cuire.

Préparer les 3 crèmes. Incorporer la gélatine ramollie à l'eau froide dans un peu de crème pâtissière chaude. Laisser refroidir. Mélanger les trois éléments.

Couper la couronne aux 2/3. La garnir avec la moitié de la crème, les fruits, puis le reste de crème. Poser le couvercle. Saupoudrer de sucre glace.

6 pers. ✗ O
Prép. : 20 mn.
Cuisson : 30 mn. à 170° C.

Gâteau Singapour

1 génoise (p. 40).

Garniture :
*50 g. de confiture
1/2 boîte d'ananas au sirop.*

Punch :
*1 dl. de sirop lourd
2 cl. de rhum.*

Décor :
*50 g. de nappage blond
1/2 boîte d'ananas au sirop
5 bigarreaux confits
10 g. d'angélique
30 g. d'amandes effilées grillées.*

Couper la génoise en deux dans le sens de la hauteur. L'imbiber, la garnir avec l'ananas coupé en dés et lié avec la confiture.

Reconstituer le gâteau. Lustrer avec le nappage bouillant.

Décorer avec les tranches d'ananas, les bigarreaux confits et l'angélique. Lustrer les morceaux d'ananas du décor. Disposer les amandes grillées tout autour.

6 à 8 pers. XX OOO
Prép. : 1 h.
Cuisson : 7 à 8 mn. à 200° C.

Gâteau opéra

300 g. de crème au beurre
(p. 45)
10 g. de sucre glace.

Biscuit :
3 œufs
75 g. de sucre
20 g. de farine
20 g. de fécule
40 g. de poudre d'amande
légèrement grillée.

Ganache garniture :
190 g. de chocolat
2,5 cl. de crème
5 cl. de lait.

Ganache glaçage :
50 g. de chocolat
25 g. de beurre.

Punch :
15 cl. de sirop lourd
3 cl. d'extrait de café.

Préparer puis étaler la pâte à biscuit (voir p. 32) sur une feuille de papier sulfurisé légèrement beurrée de 35 cm x 25 cm. Cuire puis mettre le biscuit à refroidir sur la table pour éviter le dessèchement.

Préparer la ganache (p. 48).

Couper le biscuit en trois parties égales après avoir enlevé le papier. Placer un papier sulfurisé sous le gâteau pour en favoriser le déplacement une fois garni.

Imbiber la première partie avec 1/3 du sirop parfumé, garnir d'une couche de ganache, puis poser dessus une deuxième couche de biscuit imbibé, garnir avec la crème au beurre parfumée au café, imbiber la troisième couche de biscuit et la poser, partie sèche vers le haut, sur la crème au beurre comme pour un mille-feuille. Appuyer un peu dessus pour avoir une surface plate et la faire adhérer à la crème.

Préparer la ganache pour le glaçage (p. 48). L'étaler à l'aide d'une spatule métallique. Après refroidissement, saupoudrer avec du sucre glace en bandes diagonales

Garder au frais. Ce gâteau se conserve bien et peut être fait à l'avance.

6 pers. XX OO
Prép. : 10 mn.
Cuisson : 30 mn. à 170° C.

Gâteau sévillan

Pâte :
125 g. de beurre
125 g. de sucre
2 œufs + 1 jaune
1 zeste d'orange râpé
125 g. de farine
3 g. de levure chimique.

Le jus de 2 oranges
5 cl. de sirop lourd
2 cl. de Cointreau.

Confectionner la pâte comme celle du quatre-quarts à l'orange (p. 42). Cuire la pâte dans un moule à génoise beurré et fariné.

Au sortir du four, démouler le sévillan sur une grille. Imbiber le fond du gâteau encore chaud avec le mélange jus d'orange, sirop, Cointreau.

Facultatif : après refroidissement, passer une couche au pinceau de nappage chaud, puis faire un glaçage au fondant, légèrement plus chaud que d'habitude, étant donné l'humidité du gâteau.

Décorer de filets de chocolat, de suprêmes d'orange, de bigarreaux confits et d'angélique confite.

Génoise aux fruits

6 pers.
Prép. : 40 mn.
Cuisson : 20 mn. à 220° C.

XX OO

200 g. de pâte feuilletée (p. 30)
1/2 génoise (p. 40) de 22 cm
de ∅.
500 g. de crème pâtissière
(p. 49).

Punch :
5 cl. de sirop lourd (p. 22)
1 cl. de kirsch.

Finition :
50 g. de nappage blond
30 g. d'amandes effilées grillées.

Fruits tendres ou pochés :
Bananes
Fraises
Kiwis
Oranges
Ananas
Poires.

1 cl. de kirsch.

Cuire un disque de pâte feuilletée de 22 cm de diamètre.
Prendre le disque de génoise, l'imbiber de punch.

Garnir le disque de pâte feuilletée d'une couche de crème pâtissière, déposer dessus le disque de génoise. L'imbiber. Le recouvrir d'une fine couche de pâtissière. Masquer également le pourtour du gâteau. Disposer harmonieusement les fruits. Lustrer avec le nappage chaud.

Faire adhérer les amandes grillées autour du gâteau.

Jalousie aux pommes

6 pers. XX O
Prép. : 30 mn.
Cuisson : 40 mn. à 220° C puis
terminer à 190° C.

450 g. de pâte feuilletée (p. 30).

Garniture :
500 g. de pommes golden
25 g. de beurre
25 g. de sucre
50 g. de raisins secs.

50 g. de nappage blond
10 g. de sucre glace.

Eplucher, épépiner et couper les pommes en petits dés. Les cuire avec le beurre 10 minutes maximum. Dès que les pommes sont cuites, ajouter le sucre et les raisins. Laisser refroidir.

Etaler la pâte feuilletée en un rectangle de 25 cm sur 35 cm. Le couper en deux dans le sens de la longueur pour obtenir 2 bandes. Poser la première en la retournant sur la plaque de four humidifiée et la piquer avec une fourchette. Répartir la garniture en ayant soin de laisser tout autour un espace non garni de 2 cm. Mouiller le tour à l'aide d'un pinceau. Plier la deuxième bande en deux dans le sens de la longueur en ayant soin de la fariner un peu pour qu'elle ne se colle pas. Entailler la pâte de 4 cm en espaçant les coupes d'un centimètre. Poser la bande sur un côté de la jalousie garnie. Déplier pour couvrir l'ensemble. Appuyer pour souder. Chiqueter. Dorer la surface à l'œuf.

Après refroidissement, étaler au pinceau sur la partie centrale le nappage bouillant et saupoudrer les bords de sucre glace.

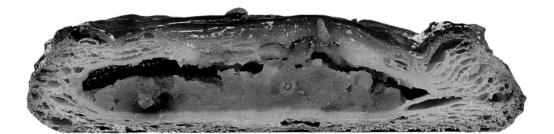

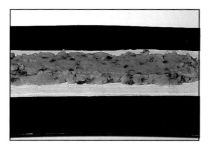

1. Répartir la compote sur la première abaisse.

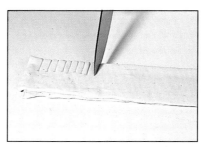

2. Plier et entailler la deuxième bande de pâte.

3. La déplier. Couvrir les pommes. Souder et chiqueter les bords.

165

6 pers. Prép. : 30 mn. Cuisson : 20 mn. à 220° C.	✗✗ ○

Mille-feuille

Préparer le feuilletage (p. 30) et la crème pâtissière (p. 49).

Etaler la pâte à la grandeur de la plaque du four. Bien la piquer. Cuire la pâte feuilletée. Saupoudrer de sucre glace et repasser au four pour caraméliser (facultatif).

Après refroidissement, diviser la plaque en trois bandes égales. Garnir la première avec la moitié de la crème, poser la seconde, étaler la deuxième moitié de crème et couvrir avec la troisième couche de pâte feuilletée en la retournant pour avoir une surface bien plate pour le glaçage. Appuyer légèrement dessus avec les mains pour mettre en contact crème et pâte feuilletée.

Pâte feuilletée :
250 g. de farine
5 g. de sel
12,5 cl. d'eau
200 g. de beurre.

Crème pâtissière :
1/2 l. de lait
3 jaunes d'œufs
125 g. de sucre
50 g. de maïzena
1 cl. de rhum.

Glaçage :
100 g. de fondant
5 g. de cacao.

Préparer le glaçage :

tempérer le fondant sans dépasser 35° C. Le mettre à la consistance avec du sirop lourd ou de l'eau. Il doit être assez liquide, la surface étant plate. Parfumer l'équivalent d'une grosse cuillère de fondant avec le cacao. Les deux fondants doivent être à la même température et à la même consistance.

Verser le fondant blanc sur le mille-feuille. L'étaler rapidement avec une spatule métallique. Faire de petits filets de fondant chocolat au cornet ou avec une cuillère sur toute la longueur. Passer aussitôt une pointe de couteau d'office dans un sens puis dans l'autre à 1 cm d'intervalle.

On peut mettre des amandes grillées tout autour. Dans ce cas, il faut masquer les parois de crème pâtissière.

1. Etaler rapidement le fondant blanc. Déposer des filets de fondant brun au cornet.

2. Passer une pointe de couteau dans un sens puis dans l'autre.

VARIANTES

Mille-feuille poudré :
Même préparation et même recette que pour le mille-feuille marbré. Au lieu de glacer au fondant, la bande de mille-feuille sera saupoudrée de sucre glace, puis décorée avec du cacao.

Mille-feuille aux fruits :
Même préparation et même recette que pour le mille-feuille marbré. Au lieu du glaçage fondant, garnir le dessus d'une mince couche de crème pâtissière, garnir de fruits tendres ou pochés, lustrer de nappage blond et décorer de chantilly.

6 pers. XX ⬭⬭
Prép. : 30 mn.
Cuisson : 25 mn. à 170° C.

Moka

1 génoise (p. 40).

Crème au beurre :
1 œuf + 1 jaune
125 g. de sucre
1 cl. d'extrait de café selon goût
150 g. de beurre.

Finition :
30 g. d'amandes effilées grillées.

Punch :
1 dl. de sirop lourd (p. 22)
1 cl. de rhum.

Préparer la génoise, la crème au beurre (p. 45), le sirop et les amandes grillées.

Le gâteau sera coupé en deux ou en trois suivant l'épaisseur. L'imbiber puis le garnir d'une fine couche de crème au beurre, reconstituer le gâteau avec le dernier disque, masquer le dessus et le pourtour de crème. Lisser à la spatule.

Décorer avec une poche munie d'une petite douille cannelée ou au cornet.

Faire adhérer les amandes grillées tout autour.

6 pers. XX ⬭⬭
Prép. : 30 mn.
Cuisson : 25 mn. à 170° C.

Chocolatine

Génoise :
3 œufs
90 g. de sucre
70 g. de farine
20 g. de cacao.

Crème au beurre :
1 œuf + 1 jaune
125 g. de sucre
150 g. de beurre
20 g. de cacao amer.

Finition :
30 g.de pailleté de chocolat ou
30 g. de copeaux de chocolat.

Punch :
1 dl. de sirop lourd
1 cl. de rhum.

Même technique que pour le moka.

6 pers.　　　　✕✕ ◯◯
Prép. : 40 mn.
Cuisson : 50 mn. à 200° C.

Paris-Brest

Pâte à choux :
12,5 cl. d'eau
50 g. de beurre
2 g. de sel
4 g. de sucre
80 g. de farine
2 à 2 1/2 œufs
15 g. d'amandes hachées.

Crème mousseline :
2,5 dl. de lait
1 œuf
85 g. de sucre
40 g. de maïzena
125 g. de beurre
85 g. de praliné.

Finition :
10 g. de sucre glace.

Faire une pâte à choux (p. 35).

La dresser sur une plaque légèrement beurrée. En prenant un cercle pour modèle, faire 2 cordons côte à côte avec une poche munie d'une grosse douille lisse, puis un troisième cordon au-dessus. Il faut éviter que les ajouts se trouvent au même endroit. Dorer, rayer à la fourchette. Disposer les amandes hachées. S'il reste de la pâte à choux, dresser un ou plusieurs éclairs qui cuiront en même temps. Faire cuire.

Bien dessécher le Paris-Brest, puis le laisser refroidir.

Faire la crème mousseline, en commençant comme une crème pâtissière (p. 49).

Sitôt la crème cuite, ajouter la moitié du beurre et mélanger au fouet. Laisser refroidir, en fouettant de temps en temps. Dès que la crème est refroidie mais non glacée, ajouter la deuxième moitié de beurre en pommade et le praliné. Fouetter énergiquement à la main ou au batteur pendant 5 minutes pour alléger la crème et l'émulsionner.

Couper le Paris-Brest aux 2/3 de la hauteur, le garnir avec la poche (douille moyenne cannelée) d'une première couche de crème. Couper les éclairs en fines lanières. En disposer une couche sur la crème, puis terminer par une dernière couche de crème. Remettre le couvercle et saupoudrer de sucre glace. Réserver au frais avant de servir.

Crème mousseline au café :
remplacer le praliné par de l'extrait de café et augmenter la proportion de sucre de 40 g.

Autre garniture :
on peut mettre une première couche de pâtissière café ou praliné puis une couche de chantilly.

Pithiviers

6 pers. ✕✕ ◯◯
Prép. : 20 mn. sans la pâte.
Cuisson : 20 mn. à 220° C puis
terminer à 190° C 25 mn.

400 g. de pâte feuilletée (p. 30).

Pâte :
200 g. de farine
4 g. de sel
10 cl. d'eau
150 g. de beurre.

*200 g. de crème d'amandes
(p. 46).*

Etaler la pâte feuilletée (4 mm d'épaisseur). Découper deux disques de 24 cm de diamètre environ.

Etaler la crème d'amandes sur l'un des disques jusqu'à 3 cm du bord. Passer un peu d'eau au pinceau sur le tour. Poser l'autre disque. Appuyer pour souder les bords.

Couper en feston avec un couteau d'office.

Dorer à l'œuf, sans déborder.

Rayer au couteau ou à la fourchette. Piquer. Mettre à cuire.

Au terme de la cuisson, saupoudrer de sucre glace et passer sous le gril.

VARIANTE

Pithiviers aux poires :
1/2 boîte de poires au sirop ou 400 g. de poires fraîches.
Même préparation que pour un pithiviers normal. Mettre de fines lamelles de poires pochées et égouttées entre 2 couches de crème d'amandes.
Il nécessite un temps de cuisson plus long.

Galette des rois

6 pers. ✕✕ ◯◯
Prép. : 30 mn.
Cuisson : 30 mn. à 220° C.

La recette et la préparation sont les mêmes que pour le pithiviers. La pâte sera un peu plus mince ainsi que la garniture. Saupoudrer de sucre glace après cuisson puis glacer sous le gril du four.

6 pers. ✕ ⦿⦿⦿
Prép. : 40 mn.
Cuisson : 7 à 8 mn. à 200° C.

Roulade à la crème de marrons

300 g. de pâte à biscuit (p. 32)
12 châtaignes.

Garniture :
250 g. de purée de marron
sucrée
50 g. de beurre.

Punch :
1 dl. de sirop lourd (p. 22)
2 cl. de rhum.

Ganache glaçage :
100 g. de chocolat
50 g. de beurre.

Même préparation que pour les gâteaux roulés (p. 32).

La purée de marron sera enrichie ou non avec un peu de beurre pommadé. Bien mélanger. Puncher, garnir puis rouler le biscuit.

Glacer avec la ganache glaçage. Décorer avec quelques châtaignes rôties au four ou cuites à l'eau et décortiquées.

6 pers. ✕ ⦿⦿
Prép. : 1 h.
Cuisson : 7 à 8 mn. à 200° C.

Roulade au citron

300 g. de pâte à biscuit (p. 32).

Crème mousseline citron :
2 œufs
130 g. de sucre
130 g. de beurre
300 g. de citrons.

Punch :
1 dl. de sirop lourd (p. 22)
1/2 citron.

Ganache glaçage :
100 g. de chocolat
50 g. de beurre.

Etaler la pâte à biscuit sur une feuille de papier de 40 cm x 25 cm. Faire cuire.

Enlever le papier, remettre le biscuit sur une nouvelle feuille de papier. Imbiber le biscuit avec le punch.

Garnir avec la crème mousseline citron préparée de la façon suivante :

mettre 2 œufs dans une petite casserole, ajouter le sucre, battre un peu au fouet, ajouter le zeste de citron (non traité) râpé finement puis le jus de citron ainsi que la moitié du beurre coupé en petits morceaux. Fouetter ce mélange sur un feu doux jusqu'à frémissement. Retirer du feu. Dès que le mélange est froid (15 à 18° C), mélanger la deuxième partie de beurre ramolli. Fouetter le tout.

Garnir le biscuit puis le rouler. On peut agrémenter la crème de petits morceaux de fraises ou de framboises avant de le rouler. Le pli doit se trouver dessous.

Glacer avec la ganache tiède. Laisser raffermir au frais et servir.

6 pers.　　　　✕✕ ◯◯
Prép. : 30 mn.
Cuisson : 25 mn. à 200° C.

Savarin chantilly

Pâte :
150 g. de farine
2 g. de sel
12 g. de sucre
2 œufs
8 g. de levure de bière
4 cl. d'eau tiède
50 g. de beurre.

Sirop :
200 g. de sucre
400 g. d'eau
1 zeste d'orange ou de citron
1 bâton de cannelle
3 cl. de rhum.

Garniture :
2 dl. de crème
30 g. de sucre
Extrait de vanille.

Finition :
50 g. de nappage blond
4 bigarreaux confits
1 orange
1 kiwi.

Faire la pâte à savarin (p. 42). Laisser lever. Mouler. Laisser lever à nouveau. Enfourner.

Pendant la cuisson, préparer le sirop pour tremper le savarin, en portant à ébullition tous les ingrédients à l'exception du rhum.

Mettre le savarin renversé dans une assiette, elle-même placée dans un plat plus grand de façon à récupérer l'excédent. Verser le sirop chaud doucement. S'assurer que le savarin est imbibé jusqu'au cœur en le palpant avec le pouce et l'index.

Laisser refroidir le savarin, l'arroser avec le rhum.

Lustrer le dessus et la partie extérieure avec le nappage bouillant. Laisser de nouveau refroidir avant de le garnir de chantilly. Le mettre sur le plat de service en le faisant glisser de l'assiette.

Décorer avec les fruits.

VARIANTES

Savarin belle fruitière :
même préparation que le savarin chantilly.
Le centre sera garni d'un salpicon de fruits (salade de fruits coupés en petits cubes).

Timbale :
même préparation que la pâte à savarin, mais cette fois moulée dans un moule à cake en faible épaisseur (2,5 cm). Après trempage, couper à l'horizontale, imbiber avec l'alcool. Garnir de crème pâtissière ou chantilly. Lustrer et décorer le dessus et le tour du plat.

1 - Verser le sirop sur le savarin.

2 - Le lustrer avec le nappage bouillant.

6 pers. XX O
Prép. : 40 mn.
Cuisson : 20 mn. à 200° C.

St-Honoré

200 g. de pâte brisée (p. 28) ou de pâte feuilletée (p. 30).

Pâte à choux :
10 cl. d'eau
40 g. de beurre
1 g. de sel
3 g. de sucre
60 g. de farine
2 œufs.

Crème pâtissière :
2 dl. de lait
1 jaune d'œuf
50 g. de sucre
25 g. de farine
1 cl. de kirsch.

Crème Chantilly :
1/4 l. de crème fouettée
40 g. de sucre
Vanille.

Caramel :
100 g. de sucre.

Etaler la pâte en un disque de 22 cm de diamètre et de 2 mm d'épaisseur. Dorer l'intérieur à 1 cm du bord sur une largeur de 2 cm. Faire une couronne en pâte à choux à 1 cm du bord (douille moyenne).

Masquer le centre du disque d'une spirale de pâte à choux (ne pas mettre trop de pâte).

Dresser 13 petits choux grosseur profiterolles sur la plaque légèrement beurrée.

Faire la crème pâtissière (voir réalisation p. 49). Monter la chantilly.

Dès que le St-Honoré est cuit, coller les choux au caramel sur la couronne de pâte à choux et caraméliser le dessus à l'aide d'une cuillère. Le 13e sera réservé pour être mis au centre après la garniture. Parfumer la crème pâtissière et en garnir le fond du St-Honoré.

Resserrer la crème Chantilly et garnir en décorant le St-Honoré. Placer le dernier chou.

VARIANTES

St-Honoré avec bavaroise :
remplacer la crème pâtissière par une couche de bavarois fait avec :
10 cl. de lait, 1 jaune d'œuf, 30 g. de sucre, 3 g. de gélatine, 10 cl. de crème fouettée, 1 cl. de kirsch.
Finir la garniture avec 20 cl. de crème Chantilly.

St-Honoré chiboust :
1/4 l. de lait, 4 jaunes d'œufs, 125 g. de sucre, 30 g. de farine ou de maïzena, 2 cl. de kirsch, 4 blancs d'œufs montés en neige, 4 g. de gélatine.
Mélanger la crème pâtissière bouillante avec la gélatine et les blancs d'œufs battus en neige ferme légèrement sucrés.
Attention ! Cette crème s'altère très rapidement.

Succès aux noix

6 pers. ✕✕ ◯◯
Prép. : 1 h.
Cuisson : 40 mn. à 170° C.

Pâte à succès :
5 blancs d'œufs montés en neige
125 g. de sucre
125 g. de poudre d'amande
35 g. de fécule ou farine.

300 g. de crème au beurre
(p. 45).

Garniture :
75 g. de noix hachées.

Ganache glaçage :
50 g. de chocolat
25 g. de beurre.

Décor :
7 beaux cerneaux de noix
30 g. d'amandes effilées grillées.

Préparer la pâte à succès (p. 39).

Cuire les disques de succès (∅ 22 cm) sur un papier sulfurisé légèrement beurré ou sur du papier aluminium (ils peuvent se faire à l'avance et se conserver dans un endroit sec).

Garnir le premier avec la crème au beurre parfumée. Répartir les noix grossièrement hachées. Poser le deuxième disque à l'envers, masquer le tour de crème en lissant avec une spatule. Glacer avec la ganache glaçage, répartir les beaux cerneaux de noix sur chaque portion + 1 au centre.

Faire adhérer sur le pourtour du succès des amandes effilées grillées. Garder au frais jusqu'au moment de servir, comme tous les gâteaux à la crème au beurre.

LES GATEAUX SECS

6 pers.	✕✕ ◯
Prép. : 20 mn.	
Repos : 10 à 12 h.	
Cuisson : 30 mn. à 180° C.	

Cake au citron

250 g. de sucre
200 g. de farine
4 œufs
125 g. de beurre
1/2 paquet de levure chimique
Le zeste d'1 citron
Quelques gouttes de vanille.

Travailler la farine, le sucre, les œufs, la vanille et le zeste de citron jusqu'à ce que le mélange blanchisse. Ajouter le beurre fondu. Remuer jusqu'à ce qu'il soit absorbé. Verser la levure chimique en pluie et mélanger.

Laisser reposer 10 à 12 heures avant de mouler.

Cuire 30 minutes à four th. 6 (180° C).

6 pers.	✕✕ ◯◯
Prép. : 20 mn.	
Cuisson : 45 mn. à 180° C.	

Cake aux fruits

125 g. de beurre
125 g. de sucre
3 œufs
180 g. de farine
3 g. de levure chimique
100 g. de fruits confits hachés
100 g. de raisins secs
50 g. d'écorces d'oranges confites
2 cl. de rhum.

Préparer la pâte comme celle d'un quatre-quarts (p.42).

Les raisins macérés avec le rhum seront égouttés puis mélangés avec les fruits et les écorces d'oranges hachés. Ajouter le tout dans les 2/3 de la farine mélangée avec la levure chimique.

Battre le beurre, le sucre, les œufs avec le tiers de la farine. Bien lisser la pâte. Mélanger délicatement les deux appareils à la spatule.

Remplir aux 2/3 un moule chemisé de papier. 45 minutes de cuisson, début à 180° C, fin à 160° C.

6 pers.	✕✕ ○
Prép. : 20 mn.	
Cuisson : 45 mn. à 180° C.	

Cake marbré

100 g. de beurre
175 g. de sucre
5 œufs
6 cl. de lait
Zeste de citron râpé
175 g. de farine
175 g. de fécule
5 g. de levure chimique
15 g. de cacao
3 cl. de lait environ.

Préparer comme une pâte à quatre-quarts (p. 42).

Délayer le cacao avec le lait, ajouter 1/6 de la pâte pour faire la partie chocolatée. Chemiser le moule de papier.

Verser une couche de pâte nature. Avec une cuillère à potage, faire deux cordons de pâte chocolatée, remettre une couche de pâte nature puis 2 cordons de chocolat. Remplir le moule aux 2/3.

Passer une fourchette en tournant sur toute la longueur de la pâte pour faire un mélange marbré. Cuisson 45 minutes, 180° C au début, 160° C à la fin.

6 pers.	✕✕ ○
Prép. : 20 mn.	
Cuisson : 30 mn. à 180° C.	

Cake aux pommes

125 g. de beurre
125 g. de sucre
3 œufs
150 g. de farine
3 g. de levure chimique
Quelques gouttes de vanille
500 g. de pommes
2 cl. de rhum
50 g. de nappage blond.

Préparer une pâte à quatre-quarts (voir p. 42). Mouler dans un moule à génoise dont le fond est recouvert de papier sulfurisé.

Etaler la moitié de la pâte dans le fond du moule, disposer de fines tranches de pommes sur toute la surface, recouvrir avec l'autre partie de la pâte, puis terminer par une couche de tranches de pommes. Cuire à four moyen 30 minutes. Arroser de rhum. Lustrer avec le nappage bouillant.

6 pers.
Prép. : 15 mn.
Cuisson : 40 mn. à 180° C.

Gâteau moelleux au chocolat

160 g. de sucre
100 g. de beurre
100 g. d'amandes râpées brutes
70 g. de chocolat râpé
4 œufs
4 biscuits boudoirs
3 cl. de lait
2 cl. de rhum
20 g. de farine
20 g. de fécule
10 g. de cacao.

Travailler le beurre en pommade, ajouter le sucre et rendre le mélange mousseux. Ajouter les jaunes un à un, les amandes légèrement grillées et le chocolat. Mettre le lait et le rhum dans une assiette creuse. Tremper les boudoirs dedans. Les ajouter au mélange composé et travailler le tout. Ajouter la farine, la fécule et, délicatement, les blancs montés en neige ferme.

Verser dans un moule beurré et fariné. Enfourner. Démouler après refroidissement.

Saupoudrer de cacao amer.

6 pers.
Prép. : 30 mn.
Cuisson : 35 mn. à 160° C.

Gâteau sec aux noix

Pâte sablée sucrée :
250 g. de farine
100 g. de sucre glace
100 g. de beurre
2 g. de levure chimique
1 œuf.

Garniture :
150 g. de sucre
150 g. de cerneaux de noix
40 g. de beurre
4 cl. de lait.

Faire une pâte sablée sucrée (p. 29). L'abaisser. Foncer un cercle ou un moule à tarte avec les 4/5 de la pâte. Réserver un disque de pâte du même diamètre.

Faire fondre le sucre à sec à feu moyen. Lorsque l'on obtient du caramel blond, ajouter les cerneaux de noix hachés grossièrement. Mélanger sur le feu. Ajouter le lait, puis le beurre en morceaux. Cela décuit un peu le caramel. Dès que le mélange est fait, le répartir dans le cercle moulé de pâte sucrée et piquée. L'étaler délicatement pour obtenir une épaisseur régulière. Passer un peu d'œuf battu sur le bord de la pâte. Poser le disque de pâte. Passer le rouleau en appuyant pour couper la pâte. Dorer le dessus, rayer à la fourchette, piquer avec une pointe de couteau.

Le gâteau est cuit quand la pâte est d'un blond doré dessus et dessous.

Il se conserve plusieurs jours enveloppé dans du papier aluminium.

8 pers. ✕✕ ○
Prép. : 3 h.
Cuisson : 50 mn. à 170° C.

Kugelhopf

300 g. de farine
6 g. de sel
45 g. de sucre
15 g. de levure
2 œufs
10 cl. de lait
120 g. de beurre
60 g. de raisins secs
30 g. d'amandes.

Préparer la pâte comme celle d'une brioche (p. 34).

Beurrer un moule à kugelhopf d'environ 20 cm de diamètre et le garnir d'amandes. Ajouter la pâte.

Laisser doubler de volume avant de cuire. Démouler après cuisson.

Saupoudrer de sucre glace avant de servir.

On peut l'accompagner de crème anglaise ou de coulis de fruit rouge.

6 pers.	✗✗ ◯◯
Prép. : 20 mn.	
Cuisson : 20 mn. à 170° C.	

Pain de Gênes

125 g. d'amandes en poudre
125 g. de sucre
2 œufs + 1 jaune
2 blancs montés en neige
50 g. de farine
25 g. de fécule
75 g. de beurre
2 g. de levure chimique
1 cl. de rhum.

Travailler le mélange sucre, poudre d'amande, œufs et jaune. Le rendre mousseux, ajouter le rhum, puis le mélange tamisé, farine, fécule, levure chimique. Incorporer délicatement les blancs montés en neige et le beurre fondu.

Verser la pâte dans le moule à génoise beurré et garni au fond d'un papier sulfurisé.

Cuire 20 minutes à 170° C. Ce gâteau peut servir d'accompagnement à une salade de fruits.

6 pers.	✗ ◯
Prép. : 20 mn.	
Cuisson : 20 mn. à 170° C.	

Turin

3 œufs + 1 jaune
1 blanc monté en neige
115 g. de sucre
50 g. d'amandes en poudre
Kirsch
40 g. de fécule
45 g. de farine
40 g. de beurre fondu.

Travailler les œufs et le jaune, le sucre, la poudre d'amande en tiédissant un peu le tout au bain-marie.

Ajouter le kirsch et le mélange farine-fécule. Incorporer délicatement le blanc d'œuf monté en neige et le beurre fondu. Cuire 20 minutes.

Même utilisation que le pain de Gênes.

6 pers.　　　　✕✕ ○
Prép. : 10 mn.
Cuisson : 20 mn. à 160° C.

Galette bretonne

125 g. de beurre
100 g. de sucre
1 œuf
2 g. de sel
1 cl. de rhum
40 g. de fruits confits hachés
30 g. de raisins secs
250 g. de farine
1 g. de levure chimique.

Faire une pâte sablée (voir préparation p. 28). Réduire le beurre en pommade, puis le travailler à la spatule avec le sucre, l'œuf, le sel, le rhum, les fruits confits et les raisins secs. En dernier, ajouter la farine et la levure chimique. Mettre à raffermir au réfrigérateur si besoin est.

Etaler la pâte sur une épaisseur d'un bon centimètre. Poser dans un moule à tarte beurré de dimension appropriée. Dorer à l'œuf et rayer à la fourchette. Cuire comme une pâte sablée jusqu'à coloration.

Même utilisation que le pain de Gênes.

LES PETITS GATEAUX

6 à 8 pers. ✕✕ ○
Prép. : 30 mn.
Cuisson : 35 mn. à 220° C.

Eclairs

300 g. de pâte à choux (p. 35).

Crème pâtissière :
40 cl. de lait
3 jaunes d'œufs
100 g. de sucre
50 g. de farine.

Glaçage :
60 g. de fondant.

Faire la crème pâtissière (p. 49).
Dresser les éclairs sur une plaque. Faire cuire.
Garnir après refroidissement de crème pâtissière.
Glacer les éclairs (voir techniques p. 57).

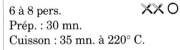

6 à 8 pers. ✕✕ ○
Prép. : 30 mn.
Cuisson : 35 mn. à 220° C.

Choux glacés

300 g. de pâte à choux (p. 35).

Crème pâtissière :
40 cl. de lait
3 jaunes d'œufs
100 g. de sucre
50 g. de farine.

Glaçage :
60 g. de fondant.

Même préparation que pour les éclairs ; il n'y a que la forme qui change, choux ovales ou ronds, glacés au fondant.

6 pers. ✕ ○
Prép. : 30 mn.
Cuisson : 35 mn. à 220° C.

Choux chantilly

300 g. de pâte à choux (p. 35).

Garniture :
3 cl. de crème Chantilly.

VARIANTE :

Garnir le fond de crème pâtissière et décorer de chantilly.

6 à 8 pers. ✗✗ ◯◯
Prép. : 30 mn.
Cuisson : 30 mn. à 220° C.

Paris-Brest

300 g. de pâte à choux (p. 35)
50 g. d'amandes hachées.

Garniture :
500 g. de crème mousseline
(p. 169).

10 g. de sucre glace.

Dresser de petites couronnes en pâte à choux de 8 cm de diamètre à la poche munie d'une grosse douille unie. Dorer, rayer, parsemer d'amandes hachées. Cuire comme les choux.
Garnir avec une crème mousseline.
On peut aussi garnir le fond de crème pâtissière praliné ou café et de chantilly au-dessus.

6 pers. ✗✗ ◯◯
Prép. : 40 mn.
Cuisson : 20 mn. à 220° C.

Profiteroles

300 g. de pâte à choux (p. 35)
300 g. de crème pâtissière (p. 49)
2 dl. de sauce chocolat (p. 52).

Dresser des petits choux (8 par personne), douille moyenne.
Les percer par le fond pour les remplir.
Les monter en pyramide (4 - 3 - 1) et les napper de sauce chocolat.
On peut également les fourrer avec de la crème Chantilly.

6 pers. ✗ ◯
Prép. : 30 mn.
Cuisson : 35 mn. à 220° C.

Salambos

300 g. de pâte à choux (p. 35)
400 g. de crème pâtissière
(p. 49)
2 cl. de kirsch
100 g. de sucre semoule.

Choux ovales, garnis de crème pâtissière parfumée au kirsch et glacés au caramel.

6 à 8 pers.	✕✕ ◯◯
Prép. : 30 mn.	
Cuisson : 30 mn. à 220° C.	

Figues

Choux ovales garnis
100 g. de pâte d'amandes verte.

Le glaçage est remplacé par de la pâte d'amandes.
Saupoudrer d'un peu de sucre glace.

6 pers.	✕✕ ◯◯
Prép. : 30 mn.	
Cuisson : 30 mn.	

Religieuses

6 choux moyens + 6 choux à
profiterolles.

Glaçage : voir illustration tour de main (p. 57).
Décorer entre les deux choux avec de la crème au beurre dressée à la poche à douille cannelée.

6 à 8 pers.	✕✕ ◯◯
Prép. : 30 mn.	
Cuisson : 30 mn. à 220° C.	

Truffes

Choux ronds garnis
30 g. de beurre
50 g. de crème pâtissière
Cacao amer.

Enduire les choux de crème au beurre (beurre ramolli fouetté avec la crème pâtissière), puis les rouler dans du cacao amer.

6 pers.
Prép. : 40 mn.
Cuisson : 20 mn. à 200° C.

✗✗ ○

St-Honoré

Mêmes ingrédients et même préparation que pour le gros St-Honoré (p. 178). Les disques de pâte auront 9 cm. Prévoir une petite douille pour dresser la pâte en couronne et les petits choux à caraméliser.

6 à 8 pers.
Prép. : 40 mn.
Cuisson : 25 mn. à 200° C.

✗✗ ○

Polka

250 g. de pâte brisée (p. 28)
125 g. de pâte à choux (p. 35)
4 dl. de crème pâtissière (p. 49).

Décor :
Sucre glace
6 ou 8 bigarreaux confits.

Dresser de petites couronnnes de pâte à choux avec une douille moyenne sur des disques de pâte brisée d'un diamètre de 9 cm piqués à la fourchette et mouillés. Cuire.

Garnir chaque fond d'une belle boule de crème pâtissière faite à la poche (grosse douille). Saupoudrer légèrement de sucre glace. On peut décorer le dessus d'un morceau de bigarreau confit ou d'un peu de sucre cristallisé caramélisé au fer rouge.

Ce type de gâteau offre la possibilité, en diminuant un peu la garniture de crème pâtissière, d'obtenir des tartelettes en disposant dessus quelques fruits tendres.

6 pers.	XXX ○
Prép. : 40 mn.	
Cuisson : 30 mn. à 200° C.	

Pont-Neuf

300 g. de pâte feuilletée (p. 59)
250 g. de pâte à choux (p. 35)
1/2 cl. de fleur d'oranger
250 g. de crème pâtissière
(p. 49).

Finition :
1 œuf
Sucre glace
Nappage blond.

Foncer des moules à tartelettes avec la pâte feuilletée sans déborder.

Piquer le fond, garnir avec le mélange crème pâtissière + pâte à choux aromatisé à la fleur d'oranger.

Croiser 2 bandes de pâte feuilletée sur le dessus. Dorer légèrement à l'œuf battu et cuire à four moyen.

Après démoulage et refroidissement, saupoudrer de sucre glace. Lustrer au nappage bouillant les deux triangles opposés.

6 pers.	XX ∞
Prép. : 30 mn.	
Cuisson : 15 mn. à 200° C.	

Savarins

Savarins chantilly, Belle fruitière, Pomponette, Baba, Marignan : la préparation de la pâte est la même que celle des savarins grosses pièces (voir p. 176), mais la cuisson se fait en moules individuels.

La garniture est identique.

Amandines

6 pers. XX O
Prép. : 40 mn.
Cuisson : 15 à 20 mn. à 180° C.

250 g. de pâte sucrée (p. 29)
200 g. de crème d'amandes
(p. 46)
50 g. d'amandes effilées
30 g. de nappage blond
30 g. de fondant
3 bigarreaux confits.

Foncer 6 moules à tartelettes avec la pâte sucrée. Piquer le fond. Garnir de crème d'amandes puis disposer quelques amandes effilées sur la moitié du gâteau. Faire cuire.

Après refroidissement, lustrer avec le nappage. Le côté sans amandes sera glacé au fondant. Poser un demi-bigarreau.

REMARQUE

Cette recette, sans les amandes effilées, sert de base pour le montage de gâteaux à la crème au beurre (voir photo).
Ceux-ci seront punchés avant d'être garnis.

LES GATEAUX DE SOIREE

Tous les petits gâteaux peuvent être réalisés en gâteaux de soirée en soignant particulièrement la qualité et la finition.

LES DESSERTS GLACES

LES SORBETS

6 pers.
Prép. : 10 mn.
Cuisson : 5 mn.

✗ ○

Sorbet citron

Faire un sirop avec le sucre et l'eau. Ajouter le jus de citron dès qu'il est froid. Mettre en sorbetière.

On obtient du sorbet à l'orange en remplaçant le citron par 2,5 dl. de jus d'orange et en enlevant 1 dl. d'eau.

Sirop :
4,5 dl. d'eau
300 g. de sucre.

1 dl. de jus de citron.

6 pers.
Prép. : 10 mn.
Cuisson : 5 mn.

✗ ◯◯

Sorbet aux fraises ou framboises

Faire un sirop avec l'eau et le sucre.

Laver et équeuter les fraises. Les mixer et les passer au chinois ou à la passoire.

Après refroidissement du sirop, le mélanger à la purée de fraise et au jus de citron. Mettre dans la sorbetière.

Le mélange ne doit pas être trop sucré, sinon le sorbet ne pourrait pas durcir suffisamment pour être servi.

300 g. de fraises fraîches ou surgelées
2,5 dl. d'eau
250 g. de sucre
Le jus d'1/2 citron.

6 pers.
Prép. : 10 mn.
Cuisson : 5 mn.

✗ ○

Sorbet noix de coco

Faire infuser dans 1 l. d'eau bouillante 200 g. de noix de coco râpée. Presser pour en extraire le jus. Ajouter 200 g. de sucre glace et 5 cl. de crème fraîche. Mettre en sorbetière.

1 l. d'eau
200 g. de noix de coco râpée
200 g. de sucre glace
5 cl. de crème fraîche.

<table>
<tr><td>6 pers.
Prép. : 10 mn.
Cuisson : 5 mn.</td><td>✂ ∞</td></tr>
</table>

Sorbet au champagne

Sirop :
125 g. de sucre
1,25 dl. d'eau.

1/2 bouteille de champagne
Le jus d'1/2 citron.

Faire le sirop avec le sucre et l'eau. Après complet refroidisse-ment, ajouter le champagne et le jus de citron.
Mettre en sorbetière immédiatement.
Densité maximum : 1.124.

<table>
<tr><td>6 pers.
Prép. : 10 mn.
Cuisson : 5 mn.</td><td>✂ ∞</td></tr>
</table>

Sorbet à la liqueur

Sirop :
4,5 dl. d'eau
175 g. de sucre.

Le jus d'1/2 citron
5 cl. de liqueur.

Procéder comme pour le sorbet au champagne.

ATTENTION !
Bien respecter les proportions, trop d'alcool empêcherait le sorbet de durcir.

REMARQUE

Les granités :
Ce sont des sorbets moins sucrés qui ont tendance à grainer d'où le nom de granités.
Ils sont servis en flûte et arrosés de liqueur juste avant d'être servis. Ils sont souvent servis au milieu du repas.

LES GLACES

Glace vanille

6 à 8 pers. XX ○
Prép. : 10 mn.
Cuisson : 15 mn.

1/2 l. de lait entier
4 jaunes d'œufs
125 g. de sucre
1/4 de gousse de vanille ou
l'équivalent : extrait de vanille,
vanille en poudre ou sucre
vanillé.

Procéder comme pour une crème anglaise traditionnelle (p. 44), en ayant soin de la refroidir rapidement après cuisson.

Mettre dans la sorbetière après complet refroidissement et laisser tourner jusqu'à l'obtention d'une crème glacée d'une bonne consistance.

Placer dans un congélateur à une température de -15° C à -18° C pour un service et à -25° C pour une conservation longue.

Glace au café

6 à 8 pers. XX ○
Prép. : 10 mn.
Cuisson : 15 mn.

1/2 l. de lait entier
4 jaunes d'œufs
125 g. de sucre
Quelques gouttes d'extrait de
café.

Parfumer la crème anglaise avec de l'extrait de café. Passer à la sorbetière.

Glace au caramel

1/2 l. de lait entier
4 jaunes d'œufs
25 g. de sucre.

Caramel :
100 g. de sucre
2,5 cl. d'eau.

Faire le caramel. Le décuire avec 5 cl. d'eau. Le mélanger au lait puis traiter comme une crème anglaise normale.

6 à 8 pers.	✗✗ ⊙⊙
Prép. : 10 mn.	
Cuisson : ?? mn.	

Glace chocolat à la menthe

1/2 l. de lait entier
4 jaunes d'œufs
125 g. de sucre
15 g. de cacao amer
10 + 12 feuilles de menthe
fraîche.

Traiter comme une crème anglaise (p. 44) en délayant le cacao dès le départ dans le lait froid. La crème terminée, c'est-à-dire prête à être refroidie, est enrichie pour être parfumée des 10 feuilles de menthe hachées grossièrement.

Mettre ainsi en sorbetière.

Servir en décorant les boules de glace de 2 feuilles de menthe fraîche.

Glace au praliné

1/2 l. de lait entier
4 jaunes d'œufs
90 g. de sucre
75 g. de praliné.

Procéder comme pour la crème anglaise normale (p. 44). Le praliné sera tout d'abord délayé avec un peu de crème anglaise, puis avec la totalité de la crème. Traiter en sorbetière comme les glaces.

Glace au miel et aux noix

Crème anglaise :
5 dl. de lait
4 jaunes d'œufs
100 g. de miel.

Nougatine aux noix :
75 g. de sucre en caramel
75 g. de noix hachées.

Faire une crème anglaise traditionnelle (p. 44).

Après refroidissement, la passer à la sorbetière. La sortir dès qu'elle est prise, ajouter la nougatine aux noix. Mélanger. En garder un peu pour mettre sur les boules de glace.

LES BOMBES GLACEES

Les bombes glacées sont des glaces à plusieurs parfums garnies en chemisage dont l'intérieur est rempli d'une pâte à bombe. Le tout est décoré de crème Chantilly après démoulage.

On utilise des moules demi-sphériques ou cylindriques, éventuellement cubiques ou des moules à cake (mettre le moule au congélateur au préalable).

6 à 8 pers.	XXX ⚭
Prép. : 40 mn.	
Cuisson : 5 mn.	
Repos : 4 h. au congélateur.	

Bombe Aïda

Sorbet fraise (p. 202).

Pâte à bombe :
2 jaunes d'œufs
65 g. de sucre
2 cl. d'eau
12,5 cl. de crème fouettée
1 cl. de kirsch.

Garnir rapidement les parois et le fond du moule d'une épaisseur de 2 cm de sorbet fraise. Remettre au froid.

Préparer la pâte à bombe :
Verser le sucre cuit au petit boulé sur les jaunes et fouetter jusqu'à complet refroidissement. Ajouter le kirsch et la crème.

Remplir le moule chemisé de glace fraise avec la pâte à bombe. Lisser. Laisser durcir au moins 4 heures.

De préférence, préparer la bombe la veille ou plusieurs jours à l'avance.

Démouler en passant le moule sous l'eau tiède. Remettre la bombe au congélateur.

Décorer au choix de fraises, de chantilly, de copeaux de chocolat ou d'angélique.

6 à 8 pers.	XXX ⚭
Prép. : 40 mn.	
Cuisson : 5 mn.	
Repos : 4 h. au congélateur.	

Bombe Mélusko

Glace praliné (p. 205).

Pâte à bombe :
2 jaunes d'œufs
60 g. de sucre
20 g. de cacao amer
2 cl. d'eau
125 g. de crème fouettée.

Chemiser le moule de glace praliné. Mettre au froid.

Préparer la pâte à bombe au chocolat :
Verser le sucre cuit au petit boulé sur les jaunes d'œufs et fouetter jusqu'à complet refroidissement. Ajouter le cacao mélangé à l'eau et la crème.

Remplir le moule chemisé. Laisser durcir au moins 4 heures au froid. Démouler et décorer à volonté.

LES DESSERTS GLACES

6 à 8 pers. XX ∞
Prép. : 50 mn.
Cuisson : 5 mn.
Repos : 4 h. au congélateur.

Biscuit glacé andalou

4 jaunes d'œufs
125 g. de sucre
80 g. de meringue italienne
(p. 38)
2,5 dl. de crème fouettée
2 cl. de Cointreau
4 oranges.

Préparer la pâte à bombe : cuire le sucre au boulé. L'ajouter aux jaunes d'œufs. Fouetter jusqu'à complet refroidissement.

La mélanger avec la meringue italienne, la crème fouettée et le Cointreau.

Mouler soit en moule à génoise, soit en moule à cake. Laisser prendre 4 heures au congélateur.

Démouler. Décorer avec des suprêmes d'orange et de la julienne d'oranges demi-confite. Peut se servir avec un coulis d'abricot détendu au jus d'orange.

REMARQUE

Julienne d'oranges :

Prélever le zeste au couteau économe, le couper en fine julienne. Le blanchir 5 minutes à l'eau bouillante salée, rafraîchir, égoutter. Remettre à cuire en mouillant à niveau avec de l'eau et 100 g. de sucre. Laisser cuire tout doucement avec quelques gouttes de jus de citron. Après refroidissement, ajouter 1 cl. de Cointreau. Peut se conserver au frais plusieurs jours.

Prélever le zeste au couteau économe. Le couper en julienne.

Après cuisson, ajouter un peu de Cointreau. Mélanger.

6 à 8 pers. ✕✕✕ ⊙⊙
Prép. : 40 mn.
Cuisson : 15 mn. à 230° C.

Feuillantine au praliné sauce chocolat

450 g. de pâte feuilletée (p. 30)
3/4 l. de glace praliné (p. 205).

Sauce chocolat :
150 g. de chocolat
12 cl. de lait environ.

1 dl. de crème Chantilly
20 g. d'amandes effilées.

Etaler la pâte feuilletée en deux bandes. Piquer. Bien sécher la pâte feuilletée au four. La saupoudrer de sucre glace et la repasser sous le gril pour caraméliser le sucre. Laisser refroidir.

Garnir les deux couches bien froides avec la glace praliné. Les superposer. Masquer les côtés avec la crème Chantilly. Napper chaque portion de sauce chocolat chaude. Parsemer d'amandes effilées grillées. Servir aussitôt.

8 pers.   ✗✗✗ ◯◯
Prép. : 40 mn.
Cuisson : 15 mn.
Repos : 4 h. au congélateur.

Nougat glacé

Meringue italienne :
2 blancs d'œufs
80 g. de miel
80 g. de sucre
2 cl. d'eau.

Nougatine :
125 g. de sucre
60 g. de noisettes grillées
émondées
60 g. d'amandes blanchies
grillées
5 g. de coriandre (facultatif).

1/2 l. de crème fouettée pas trop
serrée
Sauce anisette (p. 52).

Préparer la nougatine. Faire fondre le sucre à sec. Lorsqu'il prend une couleur blonde, le retirer du feu et y jeter les amandes et les noisettes. Mélanger. Ajouter la coriandre. Refroidir en l'étalant sur le marbre huilé. Après refroidissement, concasser la nougatine à l'aide d'un rouleau.

Préparer la meringue italienne (voir p. 38) en faisant cuire le sirop et le miel ensemble au petit boulé.

Mélanger la meringue italienne refroidie avec la crème fouettée en incorporant la nougatine hachée. Mouler dans un plat creux avec un papier sulfurisé au fond (barquette ou moule à cake).

Mettre au congélateur pendant au moins 4 heures (peut se faire la veille).

Servir soit en boule, soit en pavé.

Il s'accompagne d'une sauce à l'anis ou d'un coulis de fruits rouges (p. 50).

6 pers.   ✗✗ ◯
Prép. : 50 mn.
Cuisson : 5 mn.
Repos : 4 h. au congélateur.

Soufflé glacé au Cointreau

Pâte à bombe :
4 jaunes d'œufs
75 g. de sucre.

Meringue italienne :
2 blancs d'œufs
75 g. de sucre.

2 cl. de Cointreau
4 dl. de crème fouettée

100 g. de génoise fine (p. 40)
5 cl. de sirop lourd + 1 cl. de
Cointreau pour imbiber.

Préparer la pâte à bombe. Cuire le sucre au boulé. L'ajouter aux jaunes d'œufs. Fouetter jusqu'à complet refroidissement. Mélanger avec la meringue italienne (voir préparation p. 38), la crème fouettée et le Cointreau.

Mouler dans un moule à soufflé ou dans des ramequins.

Rehausser le bord du moule avec un carton ou un papier aluminium. Mouler en incorporant des dés de génoise imbibés avec le sirop lourd parfumé. Lisser la surface. Laisser prendre au moins 4 heures au congélateur.

Au moment de servir, retirer la bande de papier. Décorer.

6 pers.	✗✗ ⬭⬭
Prép. : 40 mn.	
Cuisson : 3 mn. à 270° C.	

Surprise norvégienne

1 génoise fine de 2 œufs (p. 40)
5 cl. de sirop lourd
2 cl. d'alcool
4 dl. de glace vanille (p. 204)
4 dl. de sorbet fraise (p. 202).

Meringue :
3 blancs d'œufs
190 g. de sucre.

Réserver une abaisse très fine de génoise. Prévoir un fond épais en génoise de la grandeur d'un plat ovale.

Imbiber le fond de génoise avec le sirop parfumé. On peut y ajouter quelques fraises suivant la saison. Etaler la glace vanille puis la glace fraise en terminant comme l'arête d'une toiture.

Déposer dessus une couche de génoise, remettre un peu au congélateur, puis masquer l'ensemble de meringue bien ferme. Décorer. Saupoudrer de sucre glace. Le tout peut attendre au congélateur.

Passer à four très chaud en la passant sur un plat contenant quelques glaçons.

| 6 pers. | ✗✗ ⬭⬭ |
| Prép. : 40 mn. | |

Vacherin glacé

2 disques de meringue de
∅ 20 cm (p. 38)
4 dl. de glace vanille (p. 204)
4 dl. de sorbet fraise (p. 202)
2 dl. de crème Chantilly
100 g. de fraises ou de
framboises
20 g. d'amandes effilées
20 g. de chocolat en copeaux.

Répartir la glace vanille puis la glace fraise sur le premier disque de meringue. Egaliser la surface.

Poser le deuxième disque de meringue à l'envers pour avoir une surface bien plate. Masquer le dessus et le tour avec la crème Chantilly. Ce travail doit être fait très rapidement. Remettre le vacherin au congélateur. Le décor peut être fait plus tard. Décorer à la poche à douille cannelée, ajouter des fraises ou des framboises, des amandes effilées grillées et des copeaux de chocolat.

6 pers.   ✕ ⊙⊙
Prép. : 10 mn.
Cuisson : 10 mn.

Cèpes glacés

3/4 l. de glace vanille (p. 204)
6 meringues en couronne
6 meringues demi-sphériques
(p. 38).

Sauce chocolat :
150 g. de chocolat
2 dl. de lait
1 dl. de crème Chantilly.

Amandes effilées grillées.

Constituer le corps des cèpes d'une ogive de glace vanille déposée sur la meringue en couronne. Poser la meringue demi-sphérique sur la glace pour former le chapeau. Décorer la base de 3 points de chantilly, napper de sauce chocolat chaude, parsemer d'amandes grillées. Servir aussitôt.

6 pers.   ✕ ⊙⊙
Prép. : 10 mn.

Meringue glacée

12 meringues ovales (p. 38)
3/4 l. de glace vanille (p. 204)
30 g. de copeaux de chocolat
10 cl. de crème Chantilly.

Présenter deux meringues et un peu de glace de façon harmonieuse dans une coupe ou sur une assiette.
Décorer de chantilly et de quelques copeaux de chocolat.

6 pers.   ✕✕ ⊙⊙
Prép. : 20 mn.
Cuisson : 10 mn.

Nègre en chemise

12 crêpes tièdes (p. 36)
3/4 l. de glace vanille (p. 204)

Sauce chocolat :
150 g. de chocolat
2 dl. de lait.

20 g. d'amandes effilées grillées.

Garnir les crêpes tièdes avec une boule de glace ovale. Plier la crêpe pour enfermer la glace. En dresser 2 par assiette. Napper de sauce chocolat chaude, décorer avec les amandes. Servir aussitôt.

6 pers.	✕ ◯
Prép. : 20 mn.	

Pêche Melba

6 tulipes (p. 43)
3/4 l. de glace vanille (p. 204)
6 belles demi-pêches pochées
Coulis de fruit rouge (p. 50)
150 g. de framboises
Crème Chantilly (facultatif).

Dresser avec précaution la glace dans les tulipes ou dans des coupes. Poser les pêches. Napper de coulis. Décorer de quelques framboises.

6 pers.	✕ ⬤⬤
Prép. : 10 mn.	

Poire Belle-Hélène

3/4 l. de glace vanille (p. 204)
6 demi-poires pochées
4 dl. de sauce chocolat (p. 52)
Crème Chantilly (facultatif).

Dresser la glace au fond des coupes. Poser les demi-poires. Napper de sauce chocolat tiède.
L'ensemble doit se préparer au dernier moment.

6 pers.	✕✕ ⬤⬤
Prép. : 20 mn.	

Profiteroles surprise

24 petits choux à profiteroles
(p. 35)
3/4 l. de glace vanille (p. 204)
20 g. d'amandes effilées
Chantilly (facultatif)
4 dl. de sauce chocolat (p. 52)

Couper les choux sur le côté. Ils doivent rester ouverts. Les garnir avec une petite cuillerée à café de glace. Les mettre en pyramide et les napper avec la sauce chocolat chaude. Décorer d'amandes grillées. Servir aussitôt.

PETITS FOURS ET CONFISERIES

LES PETITS FOURS

Bâtons au chocolat

50 pièces environ ✗ ◯◯
Prép. : 15 mn.
Cuisson : 15 mn. à 160° C.

4 blancs d'œufs
75 g. de sucre
75 g. de poudre d'amande
35 g. de farine
100 g. de chocolat de
couverture.

Monter les blancs en neige. Incorporer la moitié du sucre en fouettant, puis le reste à la spatule avec la poudre d'amande et la farine.

Dresser de petits bâtonnets avec une poche munie d'une douille moyenne sur une plaque beurrée et farinée. Saupoudrer de sucre glace. La pâte ne s'étalera pas.

Laisser blondir avant de sortir du four. Décoller aussitôt et laisser refroidir à plat. Les recouvrir de chocolat de couverture.

Cigarettes

30 pièces environ ✗✗ ◯
Prép. : 10 mn.
Cuisson : 7 à 8 mn. à 180° C.

45 g. de beurre
60 g. de sucre glace
1 3/4 blanc d'œuf
Quelques gouttes d'extrait de
vanille
50 g. de farine.

Préparer la pâte comme pour les langues de chat (p. 221).

Les dresser sur plaques légèrement beurrées avec une poche munie d'une douille unie moyenne en leur donnant une forme ovale et en les espaçant. Taper la plaque pour aplatir la pâte.

Dès qu'ils sont cuits, les garder au chaud à l'entrée du four. Les retirer un par un et les rouler sur un bâtonnet en appuyant pour les souder.

40 pièces environ ✕○ Prép. : 10 mn. Cuisson : 7 à 8 mn. à 180° C.

Langues de chat

45 g. de beurre
60 g. de sucre glace
1 3/4 blanc d'œuf
Quelques gouttes d'extrait de vanille
70 g. de farine.

Travailler énergiquement le beurre en pommade avec le sucre et l'œuf. Ajouter la vanille, puis la farine d'un seul coup. Mélanger. Dresser à la poche avec une petite douille unie de fins bâtonnets espacés sur une plaque très légèrement beurrée. Taper légèrement la plaque pour aplatir la pâte. Mettre à cuire.

Au terme de la cuisson, il se forme une collerette plus foncée sur le pourtour des langues de chat. Les décoller aussitôt et les maintenir à plat jusqu'à complet refroidissement.

30 pièces environ ✕✕○ Prép. : 10 mn. Cuisson : 7 à 8 mn. à 180° C.

Tuiles

REMARQUE

Si l'on ne dispose pas de gouttière à tuiles, on peut la remplacer en moulant ces dernières sur une bouteille ou un rouleau à pâtisserie.

60 g. de sucre
60 g. d'amandes effilées
25 g. de farine
1 œuf
1 1/2 blanc d'œuf cru
Quelques gouttes d'extrait de vanille.

Réunir dans un saladier tous les ingrédients. Les mélanger à l'aide d'une cuillère sans les travailler. Il est préférable que le mélange soit fait un peu à l'avance.

Former de petits tas de pâte à l'aide d'une cuillère sur une plaque beurrée et farinée. Etaler à l'aide d'une fourchette mouillée.

Cuire jusqu'à coloration de la pâte. Les retirer de la plaque avec une palette et les renverser dans une gouttière à tuiles. Réserver en boîte bien fermée.

40 pièces environ ✕○
Prép. : 15 mn.
Cuisson : 10 mn. à 180° C.

Croquets aux amandes

Pâte sucrée :
150 g. de farine
60 g. de beurre
75 g. de sucre
1 gros œuf.

1 zeste d'orange
Extrait de vanille
75 g. d'amandes ou noisettes.

Faire une pâte sucrée (voir p. 29). Ajouter le zeste d'orange râpé, la vanille et les amandes. Hacher un peu la pâte avec un gros couteau pour répartir les ingrédients. Diviser la pâte en deux ou trois.

Faire des boudins de la grosseur d'un bouchon. Les mettre sur plaque et les aplatir un peu avec les doigts. Dorer, rayer à la fourchette et mettre au four.

Les sortir du four dès que la croûte est dorée. Détailler en petits morceaux d'1,5 cm de large.

40 pièces environ ✕○
Prép. : 10 mn.
Cuisson : 20 mn. à 160° C.

Macarons noix de coco

125 g. de sucre
125 g. de noix de coco
4 blancs d'œufs.

Mettre le sucre et les blancs dans un saladier. Chauffer un peu au bain-marie en fouettant. Ajouter la noix de coco râpée, battre encore un peu pour blanchir et alléger l'ensemble.

Dresser à la poche munie d'une grosse douille cannelée sur du papier sulfurisé. Mettre à cuire. Ils doivent devenir blonds.

20 à 25 pièces environ ✕✕○
Prép. : 20 mn.
Repos : 10 à 12 heures.
Cuisson : 10 mn. à 180° C.

Madeleines

250 g. de sucre
200 g. de farine
4 œufs
125 g. de beurre
1 zeste de citron râpé
1/2 paquet de levure chimique
Quelques gouttes d'essence de citron
Quelques gouttes d'extrait de vanille.

Travailler à la spatule la farine, le sucre, les œufs, la vanille et le zeste de citron pendant 5 minutes. Le mélange doit blanchir et s'alléger. Ajouter le beurre fondu tiède et mélanger jusqu'à absorption complète. Verser la levure chimique en pluie. Mélanger.

Laisser reposer 10 à 12 heures au réfrigérateur. Mouler dans les moules beurrés et farinés en les remplissant aux 2/3. Commencer la cuisson à 180° C, puis finir à 160° C pour que le centre de la madeleine monte et finisse de cuire.

Marguerites

175 g. de farine
125 g. de beurre
60 g. de sucre glace
5 cl. de lait
1 zeste de citron râpé
Quelques gouttes de vanille.

Réduire le beurre en pommade. Lui faire absorber le sucre en le travaillant au fouet pour rendre le mélange mousseux. Incorporer le lait petit à petit, la vanille et le zeste de citron. Garder la pâte assez molle, la réchauffer si besoin est. Ajouter d'un seul coup la farine, mélanger au fouet sans travailler.

Dresser à l'aide d'une poche munie d'une grosse douille cannelée sur du papier sulfurisé beurré en tenant la poche verticale, la douille à même le papier.

Poser un petit morceau de bigarreau confit au centre.

Cuire jusqu'à coloration blonde des petits gâteaux.

Palets aux raisins

60 g. de beurre
60 g. de sucre glace
1 petit œuf
60 g. de raisins secs
100 g. de farine
Quelques gouttes d'extrait de vanille.

Glaçage au rhum :
50 g. de sucre glace
2 cl. de rhum ou de jus de citron.

Travailler le beurre en pommade, ajouter le sucre et l'œuf. Bien travailler. Ajouter les raisins secs légèrement hachés, puis la farine d'un seul coup. Mélanger sans travailler.

Les dresser à la poche avec une grosse douille unie comme des profiterolles. Cuire sur papier légèrement beurré. Les palets sont cuits quand ils ont une belle couleur blonde. Les décoller.

Pendant la cuisson, préparer le glaçage. Délayer le sucre glace avec 2 cl. de jus de citron ou de rhum. Badigeonner au pinceau le dessus des palets à la sortie du four. Laisser refroidir.

LES CONFISERIES

40 pièces environ ✕✕ ⊙⊙⊙
Prép. : 20 mn.
Cuisson : 10 mn.

Fruits déguisés

300 g. de pâte d'amandes
Fruits au choix.

Caramel :
    250 g. de sucre
      8 cl. d'eau
        Quelques gouttes de
        jus de citron.

Parfumer et colorer la pâte d'amandes (7 à 8 g. par bonbon).
Garnir les fruits.

Piquer les fruits farcis avec la pointe d'un couteau d'office et les tremper à mi-hauteur dans du caramel. Egoutter en tapotant la lame du couteau sur le bord de la casserole pour faire tomber l'excédent de caramel. Les poser sur une plaque légèrement huilée, en retournant les bonbons.

Ces fruits déguisés ont l'inconvénient de ne pas avoir une longue conservation, 2 jours maximum. Les conserver à l'abri de l'humidité de l'air.

VARIANTE

Disposer les fruits farcis dans une petite passoire, la poser pendant 30 secondes sur une casserole d'eau bouillante en couvrant afin que la vapeur puisse enrober les fruits. Les rouler dans du sucre semoule. Tapoter pour enlever l'excédent, dresser sur un plat.

Si vous voulez les garder plus longtemps, les laisser sécher à l'air libre 1 ou 2 jours avant de les ranger dans une boîte hermétique. Ils peuvent se conserver ainsi un mois et plus.

<table>
<tr><td>6 pers.
Prép. : 20 mn.</td><td>✗ ⦿⦿</td></tr>
</table>

Brochette de fruits

20 fruits déguisés
Quelques fruits frais.

A l'aide d'une pique en bois, assembler 2 ou 3 fruits déguisés, caramélisés ou non, en alternant avec des morceaux de fruits frais, ananas, fraises, raisins, melons, framboises, suivant la saison. On peut les servir pour garnir une assiette de dessert.

<table>
<tr><td>6 pers.
Prép. : 10 mn.
Cuisson : 5 mn.</td><td>✗✗ ⊙</td></tr>
</table>

Cerises au fondant

Une vingtaine de cerises à l'eau-de-vie
200 g. de fondant.

Egoutter les cerises à l'eau-de-vie (garder la queue) pendant 1 heure dans un endroit tiède (40° C maximum).

Chauffer le fondant en le travaillant sur feu doux avec une spatule jusqu'à une température de 45° C. Au besoin le détendre avec un peu de kirsch ou d'eau-de-vie du bocal des cerises.

Tremper entièrement les cerises en les tenant par la queue. Les retirer et enlever l'excédent de fondant sur le bord de la casserole. Déposer la cerise sur une tôle ou sur une assiette saupoudrée de sucre glace.

VARIANTE

Le fondant peut être coloré en rose.
On peut également les tremper une deuxième fois à mi-hauteur, dans de la couverture.

---

40 pièces environ XXX OOO
Prép. : 40 mn.
Cuisson : 15 mn.

Bonbons au praliné

Intérieur :
500 g. de praliné
200 g. de chocolat.

Enrobage :
400 g. de chocolat de
couverture.

Faire fondre le chocolat au bain-marie, ajouter le praliné. Travailler pour rendre le mélange homogène, laisser refroidir. La pâte doit se solidifier. La mettre au réfrigérateur si besoin est. Fractionner la pâte, la tapoter avec le rouleau et l'étaler sur une épaisseur de 1 cm en la saupoudrant de sucre glace. Détailler à l'emporte-pièce ou au couteau.

Mettre le chocolat de couverture à point et procéder à l'enrobage. Immerger le bonbon, le soulever à l'aide d'une fourchette, retirer l'excédent et le poser sur un papier sulfurisé, soit en le faisant glisser soit en le renversant. Marquer aussitôt les traits à l'aide de la fourchette à tremper.

REMARQUE

Comme pour les truffes, le poids d'un bonbon est d'environ 12 à 14 g., mais on peut le faire plus gros.

40 pièces environ XXX OO
Prép. : 40 mn.
Cuisson : 5 mn.

Bonbons pâte d'amandes

500 g. de pâte d'amandes
400 g. de couverture.

Parfumer et colorer la pâte d'amandes à son choix. La pâte d'amandes ne doit pas être trop molle, au besoin la travailler avec du sucre glace. Enrober comme les pralinés.

50 pièces environ ✗✗✗ ◯◯◯
Prép. : 40 mn.
Cuisson : 5 mn.

Truffes au Cointreau

Ganache :
150 g. de crème fraîche
250 g. de chocolat
30 g. de beurre
2 cl. de Cointreau.

400 g. de couverture.

Préparer la ganache (voir p. 48). Ajouter le Cointreau à mi-refroidissement. Laisser refroidir complètement au réfrigérateur.

La réchauffer un peu et la travailler à la spatule. Diviser la ganache en 4 ou 5 parties. Former des boudins de la grosseur d'un bouchon. Diviser en morceaux de 2 cm, les arrondir légèrement et rapidement 2 par 2 pour éviter que la ganache ne fonde. Les déposer sur une plaque légèrement saupoudrée de sucre glace et les maintenir au frais.

Faire fondre le chocolat de couverture au bain-marie (32° C). Tremper les billes de ganache dans le chocolat, les retirer avec une bague à tremper ou une fourchette. Retirer l'excédent. Les égoutter un peu, puis les déposer sur du cacao amer. Attendre un peu (le temps de tremper une dizaine de truffes), puis les rouler avec une fourchette pour former des plis. Après refroidissement, les ranger dans une boîte bien fermée et les conserver dans un endroit frais, mais pas au régrigérateur. Conservation : 2 à 3 semaines.

Passer au tamis le cacao restant pour le débarrasser des gouttes de chocolat qui serviront à faire des sauces chocolat, par exemple.

50 pièces environ ✗✗ ◯◯◯
Prép. : 40 mn.

Rochers

150 g. de raisins secs blonds macérés au rhum
20 g. de pistaches
100 g. d'orangeat haché
300 g. d'amandes en bâtonnets grillées
500 g. de couverture.

Egoutter les raisins.

Tempérer les éléments à 30° C. Les lier par petites quantités avec du chocolat de couverture à point. Faire de petits rochers à l'aide d'une petite cuillère sur du papier sulfurisé. Laisser refroidir.

LES DECORS

QUELQUES TECHNIQUES

Le cornet

Découper un triangle dans une feuille de papier sulfurisé. L'enrouler sur lui-même.

Replier la pointe à l'intérieur.

Remplir le cornet. Replier soigneusement le haut.

Couper la pointe avec des ciseaux ou un couteau bien affûté.

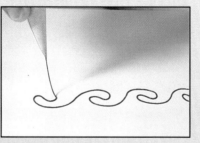

Appuyer régulièrement pour laisser couler un mince filet.

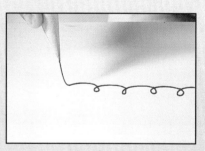

Réaliser ainsi les motifs que l'on veut.

La poche à douille

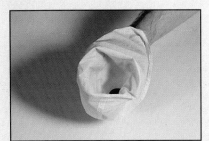

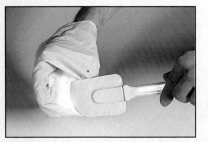

Maintenir la poche ouverte entre le pouce et l'index.

La remplir sans en mettre sur le bord.

Froncer puis serrer pour mettre la crème sous pression.

On peut réaliser différents motifs simples : rosaces,

vagues,

tresses.

Le chocolat

LES PASTILLES :

Déposer rapidement le chocolat au cornet sur du papier sulfurisé.

Tapoter l'ensemble pour étaler les pastilles.

LES DENTS DE LOUP :

Etaler le chocolat tempéré sur une bande de papier sulfurisé.

Dès que le chocolat commence à prendre, le découper en triangles allongés.

LES COPEAUX :

1ère méthode : *passer un couteau économe sur la tranche d'une plaque de chocolat.*

Si l'on dispose de chocolat de couverture, on peut le racler avec la lame d'un petit couteau.

2ème méthode : *étaler la couverture mise au point sur une surface froide.*

Laisser prendre. Racler à l'aide d'un couteau à lame rigide.

ASSIETTES
DE DESSERT

239

LEXIQUE

Abaisse : Pâte étalée ; le plus souvent il s'agit de pâte crue.
Mais c'est aussi une tranche de biscuit coupée dans le sens de l'épaisseur : abaisse de génoise.

Abaisser : Etaler ou étendre de la pâte à égale épaisseur.

Appareil : Ensemble de différents ingrédients d'une préparation culinaire (ex : appareil à soufflé, appareil à biscuit).

Bain-marie : Récipient contenant de l'eau très chaude ou des glaçons dans lequel est placé un second récipient plus petit contenant des mets que l'on veut faire chauffer, tenir au chaud, ou refroidir.

Beurre en pommade : Beurre travaillé à la spatule ou au fouet jusqu'à obtenir la consistance d'une pommade.

Blanchir : Plonger certains fruits dans de l'eau bouillante pour les attendrir. Rafraîchir. C'est également travailler un appareil (en général à base d'œufs et de sucre) jusqu'à ce qu'il s'éclaircisse et devienne mousseux.

Caraméliser : Enduire le fond et les côtés d'un moule de caramel décuit. Tremper un mets dans du caramel.

Chemiser : Garnir le fond et les parois d'un moule de papier sulfurisé (cake), de caramel (crème renversée), de glace (bombe).

Chinois : Passoire métallique à mailles très serrées.

Chiqueter : Entailler au couteau le tour d'une pièce de feuilletage, avant sa cuisson.

Confire : Cuire des fruits dans du sirop pour les attendrir et les conserver.

Corser : Enrichir un mets ou un appareil en y ajoutant un arôme, un alcool ou un épice.

Dessécher : Faire cuire une préparation pour en éliminer l'excédent d'humidité, soit au four (pâte feuilletée), soit sur le feu (pâte à choux).

Détendre : Incorporer du liquide à une préparation pour la rendre plus fluide.

Détrempe : Pâte (farine, eau et sel) de la consistance d'une pâte à pain servant à la préparation de la pâte feuilletée.

Dresser : Disposer harmonieusement les mets sur un plat ou une assiette. C'est également l'action de préparer une pâte à la cuisson en lui donnant la forme voulue (dresser la pâte à choux).

Emincer : Couper en fines tranches.

Flamber : Arroser un aliment avec un alcool chaud et enflammé, ou l'enflammer sur l'aliment.

Foncer : Garnir un moule ou un cercle à tarte d'une abaisse de pâte.

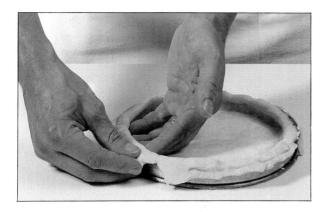

Fraiser : Ecraser la pâte sous la paume de la main pour la rendre lisse et homogène.

Frémir : Stade d'un liquide presque à ébullition.

Glacer : Napper de fondant ou de glace à l'eau.
Saupoudrer de sucre glace et caraméliser au four.

Imbiber : Humecter au pinceau une préparation de sirop alcoolisé, de lait, pour la parfumer et la rendre moelleuse.

Lustrer : Enduire un mets d'un liquide (gelée, nappage) à l'aide d'un pinceau pour le faire briller.

Luter : Fermer hermétiquement un récipient (terrine par exemple), en enduisant le tour du couvercle d'une pâte faite de farine et d'eau.

Macérer : Laisser séjourner des aliments dans du vin, de l'alcool, du sirop, pour les aromatiser.

Marinade : Liquide aromatisé dans lequel on fait macérer un aliment.

Masquer : Recouvrir un gâteau de crème, de chocolat, d'une abaisse de pâte d'amandes.

Monder ou émonder : Enlever la peau des amandes, des noisettes ou des fruits, après les avoir plongés quelques instants dans de l'eau chaude puis rafraîchie ou passés au four très chaud.

Mouiller : Ajouter du liquide à un mets pendant la cuisson.

Napper : Recouvrir un mets d'une sauce, d'une crème, d'un sirop.

Paner : Tremper un mets dans de la chapelure avant de le faire frire, rôtir, sauter.

Paner à l'anglaise : Passer un aliment dans de la farine, dans de l'œuf battu avec un peu d'huile, puis dans de la chapelure, avant de le cuire.

Parer : Débarrasser un aliment de ce qui n'est pas consommable en lui donnant une forme régulière.

Pocher : Faire cuire dans un liquide frémissant.

Puncher : Imbiber avec du sirop, alcoolisé ou non.

Rafraîchir : Passer sous l'eau froide après cuisson.

Réduire : Diminuer, par cuisson à découvert, le volume d'un liquide.

Rioler : Utiliser des bandelettes de pâte pour décorer un gâteau ou une tarte.

Sabayon : Crème mousseuse à base de jaunes d'œufs, de sucre, de vin ou de liqueur et d'aromates. Sert d'accompagnement aux entremets, aux fruits, à certaines pâtisseries.

Sabler : Effriter la farine et la matière grasse entre les doigts pour obtenir de petits grains.

Saisir : Exposer à un feu très vif dès le début de la cuisson.

Suprême : Quartier d'agrume pelé à vif.

Tamiser : C'est passer au tamis de la farine, du sucre glace, pour retenir les éventuelles impuretés et les grumeaux.

Travailler : Battre un appareil à la cuillère, au fouet ou à la main, pour le rendre homogène.

Vanner : Remuer une sauce ou une crème, pendant le refroidissement, pour empêcher la formation d'une peau à la surface.

Zester : Retirer la partie extérieure colorée qui recouvre la peau blanche des agrumes : oranges, citrons, etc.

TABLE DES MATIERES

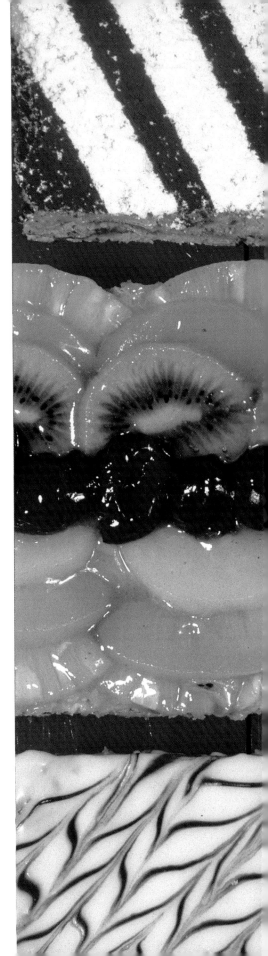

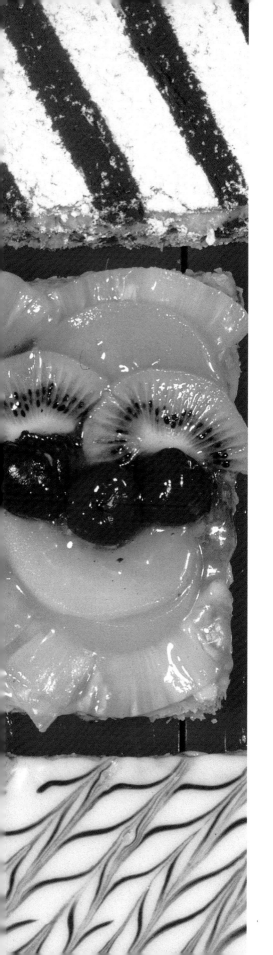

INDEX

© DORMONVAL, 1990
Haldenstraße 11 - Lucerne - CH.

Dépôt légal 3ᵉ trim. 1990 n° 1 747

ISBN 2-7372-2265-6
Imprimé en C.E.E.